Clemens Brentano, geboren am 8.9.1778 in Ehrenbreitstein, starb am 28.7.1842 in Aschaffenburg.

(Ludwig Joachim) Achim von Arnim, geboren am 26.1.1781 in Berlin, ist am 21.1.1831 in Wiepersdorf gestorben.

Der Plan zu dieser Sammlung von Volkslyrik entstand 1804 im Kreis der Heidelberger Romantiker. Der erste Band erschien 1806 in Heidelberg, Band 2 und 3 1808 in Frankfurt.

Des Knaben Wunderhorn ist die erste umfassende Sammlung von deutscher lyrischer Volksdichtung der letzten drei Jahrhunderte. Sie steht unter dem Einfluß von Herder, Ossian, Percys Sammlung und Bürger.

Des Knaben Wunderhorn betont national-pädagogisch das altdeutsche Wesen und die alte Kultureinheit und steht so im Zusammenhang mit der nationalen antinapoleonischen Einheitsbewegung der Romantik. Der größte Teil der Sammlung stammt aus alten Drucken, Almanachen und Büchern. Neben echten Volksliedern enthält sie viele alte und neue Gedichte in volkstümlich schlichtem Ton. Goethe, dem die Sammlung gewidmet war, schrieb in der Jenaischen Zeitung (1806): »(das Wunderhorn habe seinen Platz) von Rechts wegen in jedem Hause, wo frische Menschen wohnen.«

insel taschenbuch 85
Des Knaben Wunderhorn

Des Knaben Wunderhorn

gesammelt von Achim von Arnim
und Clemens Brentano

Mit einem Vorwort von
Konrad Feilchenfeldt

Insel Verlag

Ausgewählt von Friedrich Ranke

insel taschenbuch 85
Copyright Insel Verlag 1908
Nachdruck der Ausgabe von 1923
Alle Rechte vorbehalten
Vertrieb durch den Suhrkamp Taschenbuch Verlag
Umschlag nach Entwürfen von Willy Fleckhaus
Satz: Fotosatz Tutte, Salzweg-Passau
Druck: Ebner, Ulm
Printed in Germany

Des Knaben Wunderhorn

Alte deutsche Lieder

L. Achim v. Arnim. Clemens Brentano.

Heidelberg, beÿ Mohr u. Zimmer.
Frankfurt beÿ J. C. B. Mohr
1806

»Durch unsere Verfügungen über den Absatz von kleinen Volksschriften und fliegenden Blättern mittelst Hausirens oder auf Jahrmärkten, an Wallfahrtsorten etc. (…) haben wir den Mißbräuchen vorzubeugen gesucht, welche der Absatz unsittlicher oder abergläubischer Drucksachen verbreitet, und dabei zugleich die Verfügung des königl. Polizeiministeriums vom 23. Juni 1817, den polizeilichen Stempel solcher colportirten Flugschriften betreffend, zur strengsten Nachachtung empfohlen. – Wir sehen uns jedoch veranlaßt, diesen Gegenstand nochmals in Erinnerung zu bringen, und bemerken dabei Folgendes: 1) Alle kleine Gedichte, Lieder, Pamphlets, Lebensgeschichten, Receptbücher, Bilder etc., welche a) gefährlichen, sittenlosen oder abergläubischen Inhalts sind; b) deren Colporteurs keinen Hausirschein haben; c) welche ohne den vorgeschriebenen polizeilichen Stempel verkauft werden, sollen von den Orts- und Polizeibehörden confiscirt und die Colporteurs derselben zur gesetzlichen Verantwortung gezogen werden. 2) Ein gleiches Verfahren soll gegen obgedachte Flugblätter (ohne Rücksicht auf ihren Inhalt), so wie gegen ihre Verbreiter eintreten, wenn sie d) nicht die im allerhöchsten Edicte vom 18. Oct. 1819 vorgeschriebene Censur passiert haben (…) und e) wenn sie, insofern sie katholisch-religiösen Inhalts sind, nicht das Imprimatur des Bischofs oder seines Stellvertreters erhalten haben.« (Allgemeine Kirchen-Zeitung, 1825, Nr. 172, Sp. 1407).

Mit dieser vom 9. November 1825 datierten Verfügung bestätigte die preußische Regierung in der Rheinprovinz eine seit längerem bestehende literaturpolitische Maßnahme, die die Öffentlichkeit vor der Begegnung mit angeblich gefährlichem Gedankengut schützen sollte. Die Gefährdung der staatlichen Ordnung durch eine Literaturgattung, die von der Publikationsform als ›Volksschrift‹ oder ›fliegendes Blatt‹, von der Textstruktur her als ›Gedicht‹, ›Lied‹, ›Pamphlet‹ oder ›Lebensgeschichte‹ definiert werden kann, ist für eine Epoche, in der solche Auffassungen herrschen, symptomatisch. Ludwig Achim von Arnim (1781–1831) und Clemens Brentano (1778–1842) haben mit ihrer Volksliedersammlung, die mit dem Titel ›Des Knaben Wunderhorn‹ in drei Bänden erstmals 1805–1808 und in einer zweiten Auflage des ersten Bandes 1819 erschienen ist, zur Verbreitung eines Gedankenguts beigetragen, dessen Quellen in den von der preußischen Regierung später offiziell verbotenen ›Volksschriften‹ und ›fliegenden Blättern‹ zu suchen sind.

Die Anregung zu einer solchen Liedersammlung geht auf frühere Jahre zurück als die Ausarbeitung des Planes, der erst 1805, im Erscheinungsjahr des ersten Bandes, beschlossen wurde, aber sogleich zur Ausführung gelangte. Die Jahre davor dienten dem Sammeln von Textvorlagen, der Aneignung älterer Literatur, wie sie vor allem in Johann Gottfried Herders ›Stimmen der Völker in Liedern‹ von 1778/79 bereits vorlag. Die literarische Tradition stellt das ›Wunderhorn‹ in die Nachfolge Herders und der von ihm dem deutschen Geistesleben vermittelten englischen Volkslieddichtung. Die Nachwirkung englischer Vorbilder vollzog sich aber nicht nur in den Dichtungsformen, sondern auch im Bereich der herausgeberischen Intentionen. James Macphersons ›Fragments of ancient poetry, translated from the Gaelic or Erse language‹ von 1760 und Thomas Percys ›Reliquies of Ancient English Poetry‹ von 1765 begründeten in Deutschland einen Mythos von Volkslieddichtung, für dessen Rezeption die romantische Rückbesinnung auf die eigene deutsche Vergangenheit eine entscheidende Voraussetzung war. Diese geistesgeschichtliche Konstellation wäre jedoch für die Resonanz des ›Wunderhorns‹ in der Öffentlichkeit nicht ausreichend gewesen, wenn nicht von seiten der Herausgeber ein editorisches Verfahren praktiziert worden wäre, das zwar keine politische Tendenz, aber eine wenigstens literarische Stilisierung erkennen läßt.

Das ›Wunderhorn‹ ist keine moderne textkritische Edition von Volksliedern, sondern – in der Diktion seiner Epoche gesprochen – ein der deutschen Nation errichtetes literarisches ›Denkmal‹: es erinnert an ein Volk, das politisch im Zeitpunkt der Herausgabe nicht mehr und noch nicht wieder existierte. Es vermittelt nicht die Kenntnis von Dichtungen verkannter Autoren, sondern will ein Volk bekannt werden lassen, dessen Existenz in der publizistischen Aufmachung der Ausgabe als ›Denkmal‹ zum Mythos, zur Fiktion wird. Diesem Anspruch der Herausgabe entspricht die literarische Stilisierung der Vorlagen, die von Arnim und Brentano in verschiedener individueller Intensität durchgeführte Bearbeitung der gesammelten Lieder. Die Eingriffe bewegen sich von der sprachlichen Glättung, Normalisierung über Textergänzungen bis zu weitgehenden Neuschöpfungen wie Brentanos bekanntem Lied ›Zu Straßburg auf der Schanz‹, und gerade an diesem Beispiel wird durch die exemplarische Resonanz des Liedes, seine Berühmtheit, der publizistische Realitätssinn der Bearbeiter sichtbar. In ihren Eingriffen in die Texte der Vorlagen dokumentieren sie ihre Einsicht in die Bedürfnisse ihrer eigenen Zeit. Sie dämpfen die Unmittelbarkeit einer Konfrontation mit Literaturzeugnissen eines früheren Zeitalters, die in einem späteren als Anachronismus empfunden werden müssen. Die politische Brisanz einer Literatur von ›Volksschriften‹ oder ›fliegenden Blättern‹ verliert sich aber erst in der grundsätzlichen Fiktion einer Volksliteratur. Die Mythisierung kann nicht aus den einzelnen Eingriffen in den Textvorlagen erklärt werden. Das englische Vorbild ist nicht nur für die geistesgeschichtliche Vermittlung der Volksdichtung in Deutschland maßgeblich, für die Mythenbildung, sondern zugleich für die Fiktionalisierung, Verfälschung.

Das Beispiel der von Macpherson gefälschten Dichtungen Ossians ist der Extremfall einer Edition als Neuschöpfung. Es dokumentiert ein publizistisches Verfahren, das in der deutschen Romanliteratur – im ›Wilhelm Meister‹ oder ›Godwi‹ – seine künstlerische Verarbeitung gefunden hat, gleichzeitig aber bis in die Gegenwart hinein zum Editionsprinzip der Auswahlausgabe, Anthologie und Briefsammlung geworden ist. Gegenüber einer Leseröffentlichkeit, auf die es Rücksicht nimmt, belegt es einen unvermeidlichen Zwang zur Veränderung, dem sowohl der Autor als auch der Herausgeber sich zu beugen haben. Die anachronistische Struktur eines Literaturprodukts verschafft diesem ohne die Autorisierung durch einen Herausgeber, einen Angehörigen der späteren Generation, nicht automatisch Resonanz. Es braucht dazu den als Publizisten oder Redaktor versierten Literaten, der Brentano zeit seines Lebens gewesen ist, ebenso wie Arnim, wenigstens bis zu seiner Tätigkeit als Redakteur des ›Preußischen Correspondenten‹. Brentanos Wirken als literarischer Agent, vor allem in der zweiten Hälfte seines Lebens – wie Heine in der ›Romantischen Schule‹ polemisch vermerkt – als ›korrespondierendes Mitglied der katholischen Propaganda‹ entspricht einer Identifikation mit Literatur als Wirkungsmittel, wie es seit der Französischen Revolution von Napoleon im ›Moniteur‹ eingesetzt, in der Restauration von Metternich gelegentlich auch verwendet, von ihm aber vor allem im Kampf gegen die Folgen der Revolution durch ein ausgebautes Zensursystem bekämpft wurde. Die literarische Tätigkeit gerade des späten Brentano orientiert sich an den publizistischen Erfahrungen seiner Frühzeit. Seine Entwicklung als Literat, als Bearbeiter von Volksdichtungen kann im historischen Rahmen seiner Biographie als einer einheitlichen Entwicklung beurteilt und an einer Gestalt wieder der englischen Literaturgeschichte gemessen werden. England, wohin Arnim 1803/04 eine Bildungsreise unternahm und wo er »einer schönen Sammlung schottischer Romanzen und Balladen« auf die Spur kam, ist nicht nur geistesgeschichtlicher Ursprungsort der deutschen Begeisterung für das Volkslied. Fast gleichzeitig mit dem ›Wunderhorn‹ brachte Walter Scott seine ebenfalls bearbeiteten, von Arnim gerühmten ›Minstrelsy of the Scottish border‹ in drei Bänden heraus, den altenglischen Roman ›Sir Tristrem‹ und endlich eine eigene Volkslied-Neuschöpfung ›The lay of the last minstrelsy‹. In Walter Scott, dessen Romane und vor allem dessen Biographie Napoleons in Deutschland weite Verbreitung fanden, erwuchs Brentano in der literarischen Öffentlichkeit ein direkter Rivale, was die publizistische Agilität betraf. Die Wendung Scotts zur Romangattung nach 1815 entsprach der fast gleichzeitigen Neuorientierung Brentanos, die jedoch weniger einer Änderung im Literaturverständnis als in einer notwendig gewordenen Anpassung an eine neue Leseröffentlichkeit entsprang. Brentano kannte die Werke Scotts und fürchtete ihre Verbreitung, nicht so sehr wegen ihres Inhalts als wegen ihrer auf große Verbreitung berechneten Aufmachung im Taschenbuchformat.

Die im ›Wunderhorn‹ vereinigte Sammlung deutscher Volkslieder entstand aus einem historischen Verlangen nach der eigenen nationalen Vergangenheit. Sie dokumentiert den Mythos einer deutschen Geschichte, deren Vergegenwärtigung in der Zeit der politischen Auseinandersetzung Europas mit der Französischen Revolution, der deutschen Fürsten mit Napoleon, ein restauratives Anliegen veranschaulicht, und restaurativ versteht sich auch die redaktionelle Erneuerung der alten Liedtexte. Der Gedanke an die Wiedergeburt eines Reichs deutscher Nation konnte jedoch nur aus einem unter veränderten sozialen Bedingungen völlig anachronistischen Verständnis des Mittelalters hervorgehen. Die Einheit der mittelalterlichen Kirche wandelte sich geistesgeschichtlich in eine nationale Einigungsbewegung, deren erste Erfolge historisch mit den Befreiungskriegen 1813–1815 zusammenfielen. Indem die aus der Kunstbetrachtung gewonnene Erneuerung des Mittelalters und seiner strukturellen Einheit über literarische Quellen öffentlich dokumentiert und verbreitet wurde, verschärfte sich der anachronistische Effekt zusätzlich durch das Moment einer der Aufklärung als Epoche und im Sinne von Information verpflichteten Politisierung. Hierin liegt die Problematik einer Epoche, die nach 1815 im Hinblick auf die Erhaltung der Staaten und Dynastien zwar restaurativ war, in der geschichtlichen Rückbesinnung jedoch keine konsequente Erneuerung auch der Völker als nationaler Einheiten zustande kommen ließ, eine Restauration also, wie sie aus der Kenntnis von ›Volksschriften‹ und ›fliegenden Blättern‹ belebt werden konnte, pressepolitisch zu verhindern suchte.

Für Brentano war die Herausgabe des ›Wunderhorns‹ nur ein Anfang. Die Kontinuität seiner Bemühungen um eine Restauration, um eine Wiedergeburt, ist durch seine Tätigkeit als Autor und Herausgeber katholischer Erbauungsschriften über die europäische Neuordnung von 1815 hinaus ungebrochen. Die Erneuerung der Kirche als Einheit war ein Ziel, das mit dem ursprünglichen Interesse für das Mittelalter im Kreis der Frühromantiker enger verknüpft war als die nationale Erneuerung und Einigung, und anachronistisch war nur die publizistische Regsamkeit als Relikt der Aufklärung. Gemeinsam ist beiden Phasen von Brentanos Entwicklung – auf eine allgemeinere, menschbezogene, Vorstellung erweitert – der Gedanke an die Wiedergeburt des einzelnen Menschen als Individuum. Der naturmystische Sinn Brentanos in seinen Emmerick-Schriften verrät ein Interesse an irrationalen Erfahrungen und Kräften, wofür schon die frühe Beschäftigung mit ›Volksschriften‹ ein Indiz liefert. Unter dieser Voraussetzung ist die Herausgabe des ›Wunderhorns‹ durch Brentano ein Beitrag zur Überlieferung von Erfahrungen, die letztlich nur der einzelne Mensch in individueller Besinnung auf sich selbst, wo nicht in mystischer Einkehr, nachvollziehen kann. Eine Sammlung von Volksliedern wie die im ›Wunderhorn‹ angelegte wendet sich nicht an ein Volk als Masse, zumal es in seiner Zeit noch als literarischer Mythos begriffen wurde. Sie wendet sich an jeden Leser einzeln und läßt ihn an einer Überlieferung teilnehmen, die – von Arnim als Ausdruck nationaler Selbstbesinnung, von Brentano später als Erneuerung des christlichen Lebens verstanden – mehrdeutig ist. Als Ausdruck einer individuellen Begegnung mit Dichtung, die weder durch den Kanon klassischer Autoren noch durch eine Verpflichtung zu textgetreuer Rezeption belastet ist, entzieht sich das ›Wunderhorn‹ einer politischen Interpretation. Dies gilt jedoch nicht in einer Epoche, in der im Volksglauben, im überkommenen Brauchtum revolutionäre Strömungen, irrationale Mächte zutage treten, die – wie die preußische Regierungsverfügung von 1825 belegt – für die bestehende restaurative Ordnung eine Gefahr darstellen. Durch die Restauration der deutschen Volkslieddichtung wirkte das ›Wunderhorn‹ revolutionierend und war in seiner Zeit ein politisches Manifest.   *Konrad Feilchenfeldt*

Wunderhorn.

Alte deutsche Lieder

von Arnim C. Brentano.

II.

Heidelberg, beÿ Mohr und Zimmer 1808.

Wunderhorn

Alte deutsche Lieder

A. von Arnim C. Brentano

III.

Heidelberg bey Mohr und Zimmer 1808.

Des Knaben Wunderhorn

Ein Knab auf schnellem Roß
Sprengt auf der Kais'rin Schloß;
Das Roß zur Erd sich neigt,
Der Knab sich zierlich beugt.

Wie lieblich, artig, schön
Die Frauen sich ansehn;
Ein Horn trug seine Hand,
Darin vier goldne Band.

Gar mancher schöne Stein
Gelegt ins Gold hinein,
Viel Perlen und Rubin
Die Augen auf sich ziehn.

Das Horn vom Elefant,
So groß man keinen fand,
So schön man keinen fing
Und oben dran ein Ring.

Wie Silber blinken kann
Und hundert Glocken dran
Vom feinsten Gold gemacht,
Aus tiefem Meer gebracht.

Von einer Meerfei Hand
Der Kaiserin gesandt,
Zu ihrer Reinheit Preis,
Dieweil sie schön und weis'.

Der schöne Knab sagt auch:
»Dies ist des Horns Gebrauch:

Ein Druck von Eurem Finger,
Ein Druck von Eurem Finger,

Und diese Glocken all,
Sie geben süßen Schall,
Wie nie ein Harfenklang
Und keiner Frauen Sang,

Kein Vogel obenher,
Die Jungfraun nicht im Meer
Nie so was geben an!«
Fort sprengt der Knab bergan.

Ließ in der Kais'rin Hand
Das Horn, so weltbekannt;
Ein Druck von ihrem Finger,
O süßes hell Geklinge!

SCHALL DER NACHT

Komm, Trost der Nacht, o Nachtigall!
Laß deine Stimm mit Freudenschall
Aufs lieblichste erklingen,
Komm, komm und lob den Schöpfer dein,
Weil andre Vögel schlafen sein
Und nicht mehr mögen singen;
Laß dein Stimmlein
Laut erschallen, denn vor allen
Kannst du loben
Gott im Himmel, hoch dort oben.

Obschon ist hin der Sonnenschein
Und wir im Finstern müssen sein,
So können wir doch singen

Von Gottes Güt und seiner Macht,
Weil uns kann hindern keine Nacht,
Sein Loben zu vollbringen.
Drum dein Stimmlein
Laß erschallen, denn vor allen
Kannst du loben
Gott im Himmel, hoch dort oben.

Echo, der wilde Widerhall,
Will sein bei diesem Freudenschall
Und lässet sich auch hören;
Verweist uns alle Müdigkeit,
Der wir ergeben allezeit,
Lehrt uns den Schlaf betören.
Drum dein Stimmlein
Laß erschallen, denn vor allen
Kannst du loben
Gott im Himmel, hoch dort oben.

Die Sterne, so am Himmel stehn,
Sich lassen Gott zum Lobe sehn
Und Ehre ihm beweisen;
Die Eul' auch, die nicht singen kann,
Zeigt doch mit ihrem Heulen an,
Daß sie auch Gott tu preisen.
Drum dein Stimmlein
Laß erschallen, denn vor allen
Kannst du loben
Gott im Himmel, hoch dort oben.

Nur her, mein liebstes Vögelein,
Wir wollen nicht die faulsten sein
Und schlafen liegen bleiben,
Vielmehr bis daß die Morgenröt

Erfreuet diese Wälderöd,
In Gottes Lob vertreiben;
Drum dein Stimmlein
Laß erschallen, denn vor allen
Kannst du loben
Gott im Himmel, hoch dort oben.

GROSSMUTTER SCHLANGENKÖCHIN

Maria, wo bist du zur Stube gewesen?
Maria, mein einziges Kind!

Ich bin bei meiner Großmutter gewesen,
Ach weh! Frau Mutter, wie weh!

Was hat sie dir dann zu essen gegeben?
Maria, mein einziges Kind!

Sie hat mir gebackne Fischlein gegeben,
Ach weh! Frau Mutter, wie weh!

Wo hat sie dir dann das Fischlein gefangen?
Maria, mein einziges Kind!

Sie hat es in ihrem Krautgärtlein gefangen,
Ach weh! Frau Mutter, wie weh!

Womit hat sie dann das Fischlein gefangen?
Maria, mein einziges Kind!

Sie hat es mit Stecken und Ruten gefangen,
Ach weh! Frau Mutter, wie weh!

Wo ist dann das übrige vom Fischlein hingekommen?
Maria, mein einziges Kind!

Sie hat's ihrem schwarzbraunen Hündlein gegeben,
Ach weh! Frau Mutter, wie weh!

Wo ist dann das schwarzbraune Hündlein hinkommen?
Maria, mein einziges Kind!

Es ist in tausend Stücke zersprungen.
Ach weh! Frau Mutter, wie weh!

Maria, wo soll ich dein Bettlein hin machen?
Maria, mein einziges Kind!

Du sollst mir's auf den Kirchhof machen,
Ach weh! Frau Mutter, wie weh!

LASS RAUSCHEN, LIEB, LASS RAUSCHEN

Ich hört ein Sichlein rauschen,
Wohl rauschen durch das Korn,
Ich hört ein Mägdlein klagen,
Sie hätt ihr Lieb verlorn.

Laß rauschen, Lieb, laß rauschen,
Ich acht nicht, wie es geht,
Ich tät mein Lieb vertauschen
In Veilchen und im Klee.

Du hast ein Mägdlein worben
In Veilchen und im Klee,
So steh ich hier alleine,
Tut meinem Herzen weh.

Ich hör ein Hirschlein rauschen,
Wohl rauschen durch den Wald,
Ich hör mein Lieb sich klagen,
Die Lieb verrauscht so bald.

Laß rauschen, Lieb, laß rauschen,
Ich weiß nicht, wie mir wird,
Die Bächlein immer rauschen,
Und keines sich verirrt.

DER ARME SCHWARTENHALS

Ich kam vor einer Frau Wirtin Haus,
Man fragt mich, wer ich wäre,
Ich bin ein armer Schwartenhals,
Ich eß und trink so gerne.

Man führt mich in die Stuben ein,
Da bot man mir zu trinken,
Die Augen ließ ich umher gehn,
Den Becher ließ ich sinken.

Man setzt mich oben an den Tisch,
Als ich ein Kaufherr wäre,
Und da es an ein Zahlen ging,
Mein Säckel stand mir leere.

Da ich des Nachts wollt schlafen gahn,
Man wies mich in die Scheuer,
Da ward mir armen Schwartenhals
Mein Lachen viel zu teuer.

Und da ich in die Scheuer kam,
Da hub ich an zu nisteln,

Da stachen mich die Hagendorn,
Dazu die rauhen Disteln.

Da ich zu Morgens früh aufstand,
Der Reif lag auf dem Dache,
Da mußt ich armer Schwartenhals
Meins Unglücks selber lachen.

Ich nahm mein Schwert wohl in die Hand,
Und gürt' es an die Seiten,
Ich Armer mußt zu Fuße gehn,
Weil ich nicht hatt' zu reiten.

Ich hob mich auf und ging davon
Und macht mich auf die Straßen,
Mir kam ein reicher Kaufmannssohn,
Sein Tasch muß er mir lassen.

DIE WIDERSPENSTIGE BRAUT

Ich eß nicht gerne Gerste,
Steh auch nicht gern früh auf,
Eine Nonne soll ich werden,
Hab keine Lust dazu;
Ei so wünsch ich dem
Des Unglücks noch so viel,
Der mich armes Mädel
Ins Kloster bringen will.

Die Kutt ist angemessen,
Sie ist mir viel zu lang,
Das Haar ist abgeschnitten,
Das macht mir angst und bang;
Ei so wünsch ich dem

Des Unglücks noch so viel,
Der mich armes Mädel
Ins Kloster bringen will.

Wenn andre gehen schlafen,
So muß ich stehen auf,
Muß in die Kirche gehen,
Das Glöcklein läuten tun;
Ei so wünsch ich dem
Des Unglücks noch so viel,
Der mich armes Mädel
Ins Kloster bringen will.

O HIMMEL, WAS HAB ICH GETAN

Das Klosterleben ist eine harte Pein,
Weil ich ohne mein Liebchen muß sein;
Ich habe mich drein ergeben zur Zeit,
Den Orden ertrag ich mit Schmerz und Leid.
O Himmel, was hab ich getan?
Die Liebe war schuldig daran.

Und komm ich am Morgen zur Kirche hinein,
So sing ich die Metten allein;
Und wenn ich das Gloria patri da sing,
So liegt mir mein Herzallerliebster im Sinn.
Ach Himmel, was hab ich getan?
Die Liebe ist schuldig daran.

Des Mittags, wenn ich zum Essen hin geh,
So find ich mein Tischlein allein;
Da eß ich mein Brot und trinke mein Wein,
Ach könnt ich bei meinem lieb Schätzelein sein.

O Himmel, was hab ich getan?
Die Liebe ist schuldig daran.

Des Abends, wenn ich nun schlafen da geh,
So find ich mein Bettlein ja leer;
Da greif ich bald hin, da greif ich bald her,
Ach wenn ich bei meinem Herzliebsten doch wär!
Ach Himmel, was hab ich getan?
Die Liebe ist schuldig daran.

Da kömmt ja mein Vater und Mutter auch her,
Sie beten wohl für sich allein;
Sie haben buntfarbige Röcklein auch an,
Und ich, ich muß in dem Kuttenrock stahn.
Ach Himmel, was hab ich getan?
Die Liebe ist schuldig daran.

KLOSTERSCHEU

Gott geb ihm ein verdorben Jahr,
Der mich macht zu einer Nonnen,
Und mir den schwarzen Mantel gab,
Den weißen Rock darunter,
Soll ich ein Nönnchen werden
Dann wider meinen Willen,
So will ich auch einem Knaben jung
Seinen Kummer stillen,
Und stillt er mir den meinen nicht,
So sollt es mich verdrießen.

EINSIEDLER

Dort droben auf dem Hügel,
Wo die Nachtigall singt,

Da tanzt der Einsiedel,
Daß die Kutt in die Höh springt.

Ei, laßt ihn nur tanzen,
Ei, laßt ihn nur sein,
Zu Nacht muß er beten
Und schlafen allein.

Dort drüben auf dem Hügel,
Wo's Füchsle rum lauft,
Da sitzt der Einsiedel,
Hat die Kutte verkauft.

Dort drunten im Tale
Geht er ins Wirtshaus,
Geh, leih ihm dein Dirnel,
Das mein hat ein Rausch.

Ich geh nit aufs Bergel,
Ich geh nit ins Tal,
Ich leih ihm nit 's Dirnel,
Der Weg ist zu schmal.

AN DEN MEISTBIETENDEN GEGEN GLEICH BARE
BEZAHLUNG

Lieber Schatz, wohl nimmerdar
Will ich von dir scheiden,
Kannst du mir aus deinem Haar
Spinnen klare Seiden.

Soll ich dir aus meinem Haar
Spinnen klare Seiden,

Sollst du mir von Lindenlaub
Ein neu Hemdlein schneiden.

Soll ich dir aus Lindenlaub
Ein neu Hemdlein schneiden,
Mußt du mir vom Krebselein
Ein paar Scheren leihen.

Soll ich dir vom Krebselein
Ein paar Scheren leihen,
Mußt du tausend Krebselein
Durch den Neckar treiben.

Soll ich tausend Krebselein
Durch den Neckar treiben,
Mußt du mir die Schrittlein zählen,
Die die Krebslein schreiten.

Soll ich dir die Schrittlein zählen,
Die die Krebslein schreiten,
Mußt du mir die Brücke schlagen
Von einem kleinen Reife.

Soll ich dir die Brücke schlagen
Von einem kleinen Reife,
Mußt du mir den Siebenstern
Am hellen Mittag weisen.

Soll ich dir den Siebenstern
Am hellen Mittag weisen,
Mußt du auf den Münsterturm
Mit mir zu Pferd auch reiten.

Soll ich auf den Münsterturm
Mit dir zu Pferd auch reiten,
Mußt du mir die Spornen machen
Wohl von dem glatten Eise.

Soll ich dir die Spornen machen
Wohl von dem glatten Eise,
Mußt du sie an die Füße schlagen
Am heißen Sonnenscheine.

Soll ich sie an die Füße legen
Am heißen Sonnenscheine,
Mußt du mir eine Peitsche drehen
Von Wasser und von Weine.

Soll ich dir eine Peitsche drehen
Von Wasser und von Weine,
Mußt du mir den Riesenstein
Zu klarem Staube reiben.

Soll ich dir den Riesenstein
Zu klarem Staube reiben,
Mußt du mir den Apfel rot
Wohl um die Welt rum treiben.

Soll ich dir den Apfel rot
Wohl um die Welt rum treiben,
Mußt du ziehen übers Meer,
Und doch auch bei mir bleiben.

Soll ich ziehen übers Meer,
Und doch auch bei dir bleiben,
Mußt du deine Mutter geben
Als Jungfrau mir zum Weibe.

Soll ich meine Mutter geben
Als Jungfrau dir zum Weibe,
Lieber will ich dir ein Kindlein geben,
Und keine Jungfrau bleiben.

DIE SCHWARZBRAUNE HEXE

Es blies ein Jäger wohl in sein Horn,
Wohl in sein Horn,
Und alles was er blies, das war verlorn.
Hop sa sa sa,
Tra ra ra ra,
Und alles, was er blies, das war verlorn.

»Soll denn mein Blasen verloren sein?
Verloren sein?
Ich wollte lieber kein Jäger sein.«
Hop sa sa sa, usw.

Er zog sein Netz wohl über den Strauch,
Sprang ein schwarzbraunes Mädel heraus.

»Schwarzbraunes Mädel, entspringe mir nicht,
Hab große Hunde, die holen dich.«

»Deine großen Hunde, die holen mich nicht,
Sie wissen meine hohe weite Sprünge noch nicht.«

»Deine hohe Sprünge, die wissen sie wohl,
Sie wissen, daß du heute noch sterben sollst.«

»Sterbe ich nun, so bin ich tot,
Begräbt man mich unter die Röslein rot.

Wohl unter die Röslein, wohl unter den Klee,
Darunter verderb ich nimmermehr.«

Es wuchsen drei Lilien auf ihrem Grab,
Die wollte ein Reuter wohl brechen ab.

Ach, Reuter, laß die drei Lilien stahn,
Die Lilien stahn,
Es soll sie ein junger frischer Jäger han.
Hop sa sa sa,
Tra ra ra ra,
Es soll sie ein junger frischer Jäger han.

EDELKÖNIGS-KINDER

Es waren zwei Edelkönigs-Kinder,
Die beiden, die hatten sich lieb,
Beisammen konnten sie dir nit kommen,
Das Wasser war viel zu tief.

»Ach Liebchen könntest du schwimmen,
So schwimme doch her zu mir,
Drei Kerzlein wollt ich dir anstecken,
Die sollten auch leuchten dir.«

Da saß ein loses Nönnechen,
Das tat, als wenn es schlief,
Es tat die Kerzlein ausblasen,
Der Jüngling vertrank so tief.

»Ach Mutter, herzliebste Mutter,
Wie tut mir mein Häuptchen so weh,
Könnt ich ein kleine Weile
Spazieren gehn längst der See.«

»Ach Tochter, herzliebste Tochter,
Allein sollst du da nit gehn,
Weck auf deine jüngste Schwester,
Und laß sie mit dir gehn.«

»Ach Mutter, herzliebste Mutter,
Mein Schwester ist noch ein Kind,
Sie pflückt ja all die Blumen,
Die in dem grünen Wald sind.

Ach Mutter, herzliebste Mutter,
Wie tut mir mein Häuptchen so weh,
Könnt ich ein kleine Weile
Spazieren gehn längst der See.«

»Ach Tochter, herzliebste Tochter,
Alleine sollst du da nit gehn,
Weck auf deinen jüngsten Bruder,
Und laß ihn mit dir gehn.«

»Ach Mutter, herzliebste Mutter,
Mein Bruder ist noch ein Kind,
Er fängt ja alle die Hasen,
Die in dem grünen Wald sind.«

Die Mutter und die ging schlafen,
Die Tochter ging ihren Gang,
Sie ging so lange spazieren,
Bis sie ein Fischer fand.

Den Fischer sah sie fischen:
»Fisch mir ein verdientes rot Gold,
Fisch mir doch einen Toten,
Er ist ein Edelkönigs-Kind.«

Der Fischer fischte so lange,
Bis er den Toten fand,
Er griff ihn bei den Haaren,
Und schleift ihn an das Land.

Sie nahm ihn in ihre Arme,
Und küßt ihm seinen Mund:
»Adie, mein Vater und Mutter,
Wir sehn uns nimmermehr.«

WÄCHTER, HÜT DICH BASS

Es wohnet Lieb bei Liebe,
Dazu groß Herzeleid,
Ein edle Herzoginne,
Ein Ritter hochgemait,
Sie hätten einander von Herzen lieb,
Daß sie vor großer Hute
Zusammen kamen nie.

Die Jungfrau, die war edel,
Sie tät ein Abendgang,
Sie ging gar traurigliche,
Da sie den Wächter fand:
»O Wächter mein, tritt her zu mir,
Selig will ich dich machen,
Dürft ich vertrauen dir.«

»Ihr sollet mir vertrauen,
Zart edle Jungfrau fein,
Doch fürcht ich nichts so sehre,
Als Eures Vaters Grimm.
Ich fürchte Eures Vaters Zorn,

Wo es mir misselungen,
Mein Leib hab ich verlorn.«

»Ich hab mir auserwählet
Wohl einen Ritter stolz,
Zum Brunnen hab ich zielet
Dort unten vor dem Holz,
Der liegt bei einem hohlen Stein;
Dem Ritter will ich bringen
Von Rosen ein Kränzelein.

Es soll uns nicht mißlingen,
Es soll uns wohl ergehn,
Ob ich entschlafen würde,
So weck mich mit Getön,
Ob ich entschlafen wär zu lang,
O Wächter, traut Geselle,
So weck mich mit Gesang.«

Sie gab das Geld dem Alten,
Den Mantel an sein Arm.
»Fahrt hin, mein schöne Jungfraue,
Und daß Euch Gott bewahr,
Daß er Euch wohl behüt!«
Es kränkt demselben Wächter
Sein Leben und Gemüt.

Die Nacht, die war so finster,
Der Mund gar lützel scheint,
Die Jungfrau, die war edel,
Sie kam zum hohlen Stein,
Daraus da sprang ein Brünnlein kalt,
Auf grüner Linde drüber
Frau Nachtigall saß und sang.

»Was singest du, Frau Nachtigall,
Du kleines Waldvögelein,
Woll mir ihn Gott behüten,
Ja da ich warte sein,
So spar mir ihn auch Gott gesund,
Er hat zwei braune Augen,
Dazu ein roten Mund.«

Das hört ein Zwerglein kleine,
Das in dem Walde saß,
Es lief mit schneller Eile,
Da es die Jungfrau fand.
»Ich bin ein Bot zu Euch gesandt,
Mit mir sollt Ihr gleich gehen
In meiner Mutter Land.«

Er nahm sie bei den Händen,
Bei der schneeweißen Hand,
Er führt sie an das Ende,
Wo er sein Mutter fand.
»O Mutter, die ist mein allein,
Ich fand sie nächten späte
Wohl bei dem hohlen Stein.«

Und da des Zwergleins Mutter
Die Jungfrau recht ansah:
»Geh, führ sie wieder geschwinde,
Da du sie funden hast.
Du schaffst groß Jammer und groß Not,
Eh morgen der Tag hergehet,
So sind drei Menschen tot.«

Er nahm sie bei den Händen,
Bei der schneeweißen Hand,

Er führt sie an das Ende,
Wo er sie funden hat.
Da lag der Ritter verwundet in Tod,
Da stand die schöne Jungfraue,
Ihr Herz litt große Not.

Sie zog aus seinem Herzen
Das Schwert und stieß es in sich:
»Und hat es dich erstochen,
So stech ich's auch in mich;
Es soll nun nimmer kein Königskind
Um meinetwillen sterben,
Sich morden mehr um mich.«

Und da es Morgen taget,
Der Wächter hub an und sang:
»So ward mir nie kein Jahre,
Kein Nacht noch nie so lang,
Denn diese Nacht wollt nicht vergehn.
O reicher Christ vom Himmel,
Wie wird es mir ergehn.«

Und das erhört die Königin,
Die auf dem Bette lag.
»O höret, edler Herre,
Was ist des Wächters Klag,
Wie ihm die Nacht doch hätt getan,
Ich fürcht, daß unsre Tochter,
Die hab nicht recht getan.«

Der König zu der Königin sprach:
»Zünd an ein Kerzlein Licht,
Und lug in alle Burge,
Ob ihr sie findet nicht,

Kannst du sie in dem Bett nicht sehn,
So wird's demselben Wächter
Wohl an sein Leben gehn.«

Die Königin war geschwinde,
Sie zündt ein Kerzlein Licht,
Sie lugt in alle Burgen,
Sie fand die Tochter nicht,
Sie tät ins Bette sehn,
O reicher Christ vom Himmel,
Wie wird es heut ergehn.

Sie ließen den Wächter fahen,
Sie legten ihn auf den Tisch,
In Stücken tut man ihn schneiden,
Gleich wie ein Salmenfisch.
Und warum täten sie ihm das,
Daß sich ein andrer Wächter
Sollt hüten desto baß.

ERSTE EPISTEL

Ich habe mein Herz in deines hinein geschlossen,
Darin liegen begraben
Drei güldene Buchstaben,
Der erste ist von rotem Gold,
Daß ich dir bin von Herzen hold;
Der ander ist von Edelstein,
Ich wollt, du wärst die Liebste mein;
Der dritt, der ist von Sammet und Seiden,
Du sollst all andere meiden;
So wünsch ich dir ein güldenes Schlafkämmerlein,
Von Kristall ein Fensterlein,
Von Sammet ein Bett,

Von Zimmet eine Tür,
Von Näglein ein Riegel dafür,
Von Muskaten eine Schwell
Und mich zu deinem Schlafgesell.
Dieses wünsch ich der Hübschen und Feinen,
Der Zarten und Reinen,
Der Tugendreichen,
So nicht ihresgleichen,
Wir wollen Freund sein
Bis in das Grab hinein.
Hiermit bist du tausendmal geküßt auf deine Hand,
Das geb ich dir zum Unterpfand,
Ich schick dir ein Gruß von Sammet und von Gold,
Du bist mir lieb und ich dir hold,
So werd ich hernach dir Freund doch bleiben,
So lange die Rosse den Wagen tun treiben,
So lange der Main schwimmet durch den Rhein,
So lange werd ich dir Freund doch sein;
Geschrieben im Jahr,
Da die Liebe Feuer war,
Ob schon die Augen gleich weit voneinander,
Ein Herz doch allzeit liebet das andre,
Den Namen will ich nicht nennen,
Wenn du mich liebst, wirst du mich wohl kennen.

ZWEITE EPISTEL

Einen freundlichen Gruß,
Der in das Herze soll und muß;
Der Gruß liegt begraben
Zwischen zwei goldenen Buchstaben,
Der eine heiß: Eine Perle fein,
Ich kann nicht, Herzallerliebste, stets bei dir sein!
Der andre heiß: Sammet und Seiden,

Mein Schatz soll andre Junggesellen meiden.
Ich habe einen heimlichen Boten ausgesandt,
Der dir und mir ist wohlbekannt,
Das Täublein tu ich bitten
Mit tugendlichen Sitten,
Daß es soll mein Bote sein
Und sagen zu der Liebsten mein:
Ich grüß sie heimlich in der Still
Und trau den falschen Zungen nicht viel,
Grüße nur ihr Mündlein rot und weiß,
Welches ist gezieret mit ganzem Fleiß,
Grüße sie durch grasgrünen Klee,
Nach ihr tut mir mein Herz so weh.
Ich wünsche ihr so viel gute Tage und Augenblick,
Als ich des Nachts Sterne am Himmel erblick.
Ich wünsche meiner Herzliebsten ein Haus,
Mich zu ihr immer ein und aus,
Von Kristallen eine Tür,
Und von Nägelein einen Riegel dafür;
Von Sammet und Seiden ein Bett,
Das ist ihr zarter Leib wohl wert.
Wir leben beide auf dieser Erden,
Ach, daß sie bald mein eigen möcht werden.
Eh ich meine Herzvielgeliebte wollt lassen,
Eh sollt mein Herz ein Pfeil durchstoßen;
Eh ich meine Herzallerliebste wollt meiden,
Eh sollt mein Herz eine Säge durchschneiden.
Es kann keiner sein so behend,
Der von der Liebe könnt schreiben ein End;
Sie ist mein Morgen- und Abendstern,
Meine Augen sehen sie allezeit gern;
Ich sitze beim Trinken oder Essen,
So kann ich meine Herzallerliebste nicht vergessen;
Wenn ich sie seh voll Freuden schweben,

So freuet sich mein ganzes Leben.
Herzallerliebste, ich laß nicht von dir ab,
Bis man mich träget ins kühle Grab.
Herz in Herz geschlossen,
Pfeil in Pfeil gestoßen,
Lieb in Lieb verpflicht',
Herzallerliebste, verlaß mich nicht;
Denn mein Herz ist ein Diamant,
Dein und meine Liebe scheidet niemand.
Keine Rose, keine Nelke kann blühen so schön,
Als wenn zwei verliebte Seelen beisammen tun stehn.
Kein Feuer, keine Kohle kann brennen so heiß,
Als zärtliche Liebe, von der niemand weiß.
Setz du mir einen Spiegel ins Herze hinein,
Damit du kannst schauen, wie treu ich es mein.
Nun, Täubchen, schwing die Flügel,
Bring frohe Botschaft wieder.

HUSARENGLAUBE

Es ist nichts lustger auf der Welt
Und auch nichts so geschwind,
Als wir Husaren in dem Feld,
Wenn wir beim Schlachten sind.
Wenn's blitzt und kracht dem Donner gleich,
Wir schießen rosenrot,
Wenn's Blut uns in die Augen läuft,
Sind wir sternhagelvoll.

Da heißt's: Husaren insgemein
Schlagt die Pistolen an,
Greift durch, den Säbel in der Hand
Haut durch den nächsten Mann.
Wenn ihr das Fransche nicht versteht,

So macht es euch bequem,
Das Reden ihm sogleich vergeht,
Wie ihr den Kopf abmäht.

Wenn gleich mein treuer Kamerad
Muß bleiben in dem Streit,
Husaren fragen nichts darnach,
Sind auch dazu bereit.
Der Leib verweset in der Gruft,
Der Rock bleibt in der Welt,
Die Seele schwingt sich durch die Luft
Ins blaue Himmelszelt.

DIE MARKETENDERIN

Es hat sich ein Mädchen in'n Fähndrich verliebt,
Er spricht ihr von Ehe und heirat' sie nicht,
Wenn der Fähnrich die Fahne tut rühren,
Tut sich ihr Herzchen vor Freuden florieren.

Der Tambour die Trummel im Wirbel schon rührt,
O wunderschön Mädchen, mußt leiden groß Not,
Da heißt es, Soldaten ins Feld müßt marschieren,
Bald haben wir kein Geld, bald haben wir kein Brot.

Bald haben wir kein Brot, bald haben wir kein Geld,
O du wunderschön Mädel, so geht es im Feld!
Und wenn der Feind kommt und bringet uns um,
Bleib bei der Armee und halt dich fein frumm.

WÄR ICH EIN KNAB GEBOREN

Es wollt ein Mädel grasen,
Wollt grasen im grünen Klee,

Begegnet's ihm ein Reiter,
Wollt's haben zu der Eh.

»Ach komm, du hurtig Mädel,
Und setz dich zu mir her.«
»Ach wollt, ich dürft mich setzen,
Kein Gras hat's Zicklein mehr.«

Der Reiter spreit' den Mantel,
Wohl über den grünen Klee:
»Komm, du mein wackeres Mädel,
und setz dich zu mir her.«

»Ich wollt, ich dürfte sitzen,
Das Zicklein hat kein Gras,
Hab gar ein zornig Mutter,
Sie schlägt mich alle Tag.«

»Hast du ein zornig Mutter,
Und schlägt dich alle Tag,
Verbind den kleinen Finger,
Und sag, er sei dir ab.«

»Wie wollt ich dürfen lügen,
Steht mir gar übel an,
Viel lieber wollt ich sprechen,
Der Ritter wär mein Mann. –

Ach Mutter, liebe Mutter,
Ach gebt mir einen Rat,
Es reitet mir alle Tage
Ein hurtiger Reiter nach.«

»Ach Tochter, liebe Tochter!
Den Rat, den geb ich dir,
Laß du den Reiter fahren,
Bleib du das Jahr bei mir.«

»Ach Mutter, liebe Mutter!
Der Rat, der ist nicht gut,
Der Ritter ist mir lieber
Als all dein Hab und Gut.«

»Ist dir der Reiter lieber
Als all mein Hab und Gut,
So bind dein Kleid zusammen
Und lauf dem Reiter zu.«

»Ach Mutter, liebe Mutter!
Der Kleider hab ich nicht viel,
Gib mir nur hundert Taler,
So kauf ich, was ich will.«

»Ach Tochter, liebe Tochter!
Der Taler hab ich nicht viel,
Dein Vater hat's verruschelt
In Würfel- und Kartenspiel.«

»Hat's denn mein Vater verruschelt
In Würfel- und Kartenspiel,
So sei es Gott erbarmet,
Daß ich sein Tochter bin.

Wär ich ein Knab geboren,
Ich wollte ziehn ins Feld,
Ich wollt die Trommel rühren
Dem Kaiser um sein Geld.«

Es waren drei Soldaten,
Dabei ein junges Blut,
Sie hatten sich vergangen,
Der Graf nahm sie gefangen,
Setzt sie bis auf den Tod.

Es war ein wackres Mädelein
Dazu aus fremdem Land,
Sie lief in aller Eilen
Des Tages wohl zehen Meilen
Bis zu dem Grafen hin.

»Gott grüß Euch, edler Herre mein,
Ich wünsch Euch guten Tag!
Ach! wollt Ihr mein gedenken
Den Gefangnen mir zu schenken,
Ja schenken zu der Eh.«

»Ach nein, mein liebes Mädelein,
Das kann und mag nicht sein,
Der Gefangne, der muß sterben,
Gott's Gnad muß er ererben,
Wie er verdienet hat.«

Das Mädel drehet sich herum
Und weinet bitterlich,
Sie lief in aller Eilen
Des Tags wohl zwanzig Meilen
Bis zu dem tiefen Turm.

»Gott grüß euch, ihr Gefangnen mein,
Ich wünsch euch guten Tag!

Ich hab für euch gebetet,
Ich kann euch nicht erretten,
Es hilft nicht Gut noch Geld.«

Was hat sie unter ihrem Schürzelein?
Ein Hemdlein, war schneeweiß:
»Das nimm, du Allerliebster mein,
Es soll von mir dein Brauthemd sein,
Darin lieg du im Tod.«

Was zog er von dem Finger sein?
Ein Ringlein, war von Gold:
»Das nimm, du Hübsche, du Feine,
Du Allerliebste meine,
Das soll dein Trauring sein.«

»Was soll ich mit dem Ringlein tun,
Wenn ich's nicht tragen kann?«
»Leg es in Kisten und Kasten
Und laß es ruhen und rasten
Bis an den Jüngsten Tag.«

»Und wenn ich über Kisten und Kasten komm
Und sehe das Ringlein an,
Da darf ich's nicht anstecken,
Das Herz möcht mir zerbrechen,
Weil ich's nicht ändern kann.«

HEINRICHE KONRADE DER SCHREIBER IM KORB

Es ging ein Schreiber spazieren aus,
Wohl an dem Markt, da steht ein Haus.
Heinriche Konrade, der Schreiber im Korb.

Er sprach: »Gott grüß Euch, Jungfrau fein,
Nun wollt Ihr heut mein Schlafbuhl sein?«
Heinriche Konrade, der Schreiber im Korb.

Sie sprach: »Kommt schier her wiedere,
Wenn sich mein Herr legt niedere.«
Heinriche Konrade, der Schreiber im Korb.

Wohlhin, wohlhin gen Mitternacht,
Der Schreiber kam gegangen dar.
Heinriche Konrade, der Schreiber im Korb.

Sie sprach: »Mein Schlafbuhl sollst nicht sein,
Du setzt dich dann ins Körbelein.«
Heinriche Konrade, der Schreiber im Korb.

Dem Schreiber gefiel der Korb nicht wohl,
Er durft ihm nicht getrauen wohl.
Heinriche Konrade, der Schreiber im Korb.

Der Schreiber wollt gen Himmel fahren,
Da hat er weder Roß noch Wagen.
Heinriche Konrade, der Schreiber im Korb.

Sie zog ihn auf bis an das Dach,
Ins Teufels Nam' fiel er wieder herab.
Heinriche Konrade, der Schreiber im Korb.

Er fiel so hart auf seine Lend',
Er sprach: »Daß dich der Teufel schänd!«
Heinriche Konrade, der Schreiber im Korb.

»Pfui dich, pfui dich, du böse Haut!
Ich hätt dir das nicht zugetraut.«
Heinriche Konrade, der Schreiber im Korb.

Der Schreiber gäb ein Gulden drum,
Daß man das Liedlein nimmer sung.
Heinriche Konrade, der Schreiber im Korb.

LIEBESPROBE

Es sah eine Linde ins tiefe Tal,
War unten breit und oben schmal,
Worunter zwei Verliebte saßen,
Vor Lieb ihr Leid vergaßen.

»Feins Liebchen, wir müssen voneinander,
Ich muß noch sieben Jahre wandern«;
»Mußt du noch sieben Jahr wandern,
So heirat ich mir keinen andern.«

Und als nun die sieben Jahr um waren,
Sie meinte, ihr Liebchen käme bald,
Sie ging wohl in den Garten,
Ihr feines Liebchen zu erwarten.

Sie ging wohl in das grüne Holz,
Da kam ein Reiter geritten stolz.
»Gott grüß dich, Mägdlein feine.
Was machst du hier alleine?

Ist dir dein Vater oder Mutter gram,
Oder hast du heimlich einen Mann?«
»Mein Vater und Mutter sind mir nicht gram,
Ich hab auch heimlich keinen Mann.

Gestern war's drei Wochen über sieben Jahr,
Da mein feins Liebchen ausgewandert war.«
»Gestern bin ich geritten durch eine Stadt,
Da dein feins Liebchen hat Hochzeit gehabt.

Was tust du ihm denn wünschen,
Daß er nicht gehalten seine Treu?«
»Ich wünsch ihm so viel gute Zeit,
So viel wie Sand am Meere breit.

Ich wünsch ihm so viel Glücke fein,
So viel wie Stern am Himmel sein.
Ich wünsch ihm all das Beste
So viel der Baum hat Äste.«

Was zog er von seinem Finger?
Ein'n Ring von reinem Gold gar fein.
Er warf den Ring in ihren Schoß,
Sie weinte, daß der Ring gar floß.

Was zog er aus seiner Taschen?
Ein Tuch sehr weiß gewaschen.
»Trockne ab, trockne ab dein Äugelein,
Du sollst hinfort mein eigen sein.

Ich tät dich nur versuchen,
Ob du würdst schwören oder fluchen;
Hättst du einen Fluch oder Schwur getan,
So wär ich gleich geritten davon.«

DER BERGGESELL

Wär ich ein wilder Falke,
So wollt ich mich schwingen auf,

Ich wollt mich niederlassen
Für eins reichen Bürgers Haus.

Darin ist ein Mägdelein,
Madlena ist sie genannt,
So hab ich alle meine Tag
Kein schöners brauns Mägdlein erkannt.

An einem Montag es geschah,
An einem Montag früh,
Da sah man die schöne Madlena
Zu dem Obern Tor ausgehn.

Da fragten sie die Zarten:
»Madlena, wo willst du hin?«
»In meines Vaters Garten,
Da ich nächten gewesen bin.«

Und da sie in den Garten kam,
Wohl in den Garten einlief,
Da lag ein schöner junger G'sell
Unter einer Linden und schlief.

»Steh auf, junger Geselle,
Steh auf, denn es ist Zeit,
Ich hör die Schlüssel klingen,
Mein Mütterlein ist nicht weit.«

»Hörst du die Schlüssel klingen,
Und ist dein Mütterlein nicht weit,
So zeuch mit mir von hinnen,
Wohl über die breite Heid.«

Und da sie über die Heide kamen
Wohl unter ein' Linde, war breit,
Da ward denselben zweien
Von Seiden ein Bett bereit.

Sie lagen beieinander
Bis auf dritthalbe Stund.
»Kehr dich, brauns Mägdlein, herum,
Beut mir dein'n roten Mund.«

»Du sagst mir viel von kehren,
Sagst mir von keiner Eh,
Ich fürcht, ich hab verschlafen
Mein' Treu und auch mein' Ehr.«

»Fürchtst du, du habst verschlafen
Dein' Treu und auch dein' Ehr,
Laß dich's, Feinslieb, nicht kümmern,
Ich nehm dich zu der Eh.«

Wer ist, der uns dies Liedlein sang,
Von neuem gesungen hat,
Das hat getan ein Berggesell
Auf Sankt Annenberg in der Stadt.

Er hat's gar frei gesungen
Bei Met, bei kühlem Wein,
Darbei da sein gesessen
Drei zarte Jungfräulein.

DAS RAUTENSTRÄUCHELEIN

Gar hoch auf jenem Berg allein
Da steht ein Rautensträuchelein,

Gewunden aus der Erden
Mit sonderbar Gebärden.

Mir träumt ein wunderlicher Traum
Da unter diesem Rautenbaum,
Ich kann ihn nicht vergessen,
So hoch ich mich vermessen.

Es wollt ein Mädchen Wasser holen,
Ein weißes Hemdlein hatt' sie an,
Dadurch schien ihr die Sonnen,
Da überm kühlen Bronnen.

Wär ich die Sonn, wär ich der Mond,
Ich bliebe auch, wo Liebe wohnt;
Ich wär mit leisen Tritten
Wohl um Feinslieb geschritten.

ICARUS

Mir träumt, ich flög gar bange
Wohl in die Welt hinaus,
Zu Straßburg durch alle Gassen
Bis vor Feinsliebchens Haus.

Feinsliebchen ist betrübt,
Als ich so flieg und rennt:
»Wer dich so fliegen lehrt,
Das ist der böse Feind.«

»Feinsliebchen, was hilft hier lügen,
Da du doch alles weißt,
Wer mich so fliegen lehrt,
Das ist der böse Geist.«

Feinsliebchen weint und schreiet,
Daß ich vom Schrei erwacht,
Da saß ich, ach! in Augsburg
Gefangen auf der Wacht.

Und morgen muß ich hangen,
Feinslieb mich nicht mehr ruft,
Wohl morgen als ein Vogel
Schwank ich in freier Luft.

REWELGE

Des Morgens zwischen drein und vieren
Da müssen wir Soldaten marschieren
Das Gäßlein auf und ab;
Tralali, Tralalei, Tralala,
Mein Schätzel sieht herab.

»Ach Bruder, jetzt bin ich geschossen,
Die Kugel hat mich schwer getroffen,
Trag mich in mein Quartier,
Tralali, Tralalei, Tralala,
Es ist nicht weit von hier.«

»Ach Bruder, ich kann dich nicht tragen,
Die Feinde haben uns geschlagen,
Helf dir der liebe Gott;
Tralali, Tralalei, Tralala,
Ich muß marschieren in Tod.«

»Ach Brüder, ihr geht ja vorüber,
Als wär es mit mir schon vorüber,
Ihr Lumpenfeind seid da;

Tralali, Tralalei, Tralala,
Ihr tretet mir zu nah.

Ich muß wohl meine Trommel rühren,
Sonst werde ich mich ganz verlieren;
Die Brüder dick gesät,
Tralali, Tralalei, Tralala,
Sie liegen wie gemäht.«

Er schlägt die Trommel auf und nieder,
Er wecket seine stillen Brüder,
Sie schlagen ihren Feind,
Tralali, Tralalei, Tralala,
Ein Schrecken schlägt den Feind.

Er schlägt die Trommel auf und nieder,
Sie sind vorm Nachtquartier schon wieder,
Ins Gäßlein hell hinaus,
Tralali, Tralalei, Tralala,
Sie ziehn vor Schätzels Haus.

Da stehen morgens die Gebeine
In Reih und Glied wie Leichensteine,
Die Trommel steht voran,
Tralali, Tralalei, Tralala,
Daß sie ihn sehen kann.

ZAUBERFORMEL ZUM FESTMACHEN DER SOLDATEN

Holunke, wehre dich.
Probatum est.

Ich weiß mir ein Liedlein hübsch und fein,
Wohl von dem Wasser, wohl von dem Wein,
Der Wein kann's Wasser nit leiden,
Sie wollen wohl alleweg streiten.

Da sprach der Wein: Bin ich so fein,
Man führt mich in alle die Länder hinein,
Man führt mich vors Wirt sein Keller,
Und trinkt mich für Muskateller.

Da sprach das Wasser: Bin ich so fein,
Ich laufe in alle die Länder hinein,
Ich laufe dem Müller ums Hause,
Und treibe das Rädlein mit Brause.

Da sprach der Wein: Bin ich so fein,
Man schenkt mich in Gläser und Becherlein,
Und trinkt mich für süß und für sauer,
Der Herr als gleich wie der Bauer.

Da sprach das Wasser: Bin ich so fein,
Man trägt mich in die Küche hinein,
Man braucht mich die ganze Wochen
Zum Waschen, zum Backen, zum Kochen.

Da sprach der Wein: Bin ich so fein,
Man trägt mich in die Schlacht hinein,
Zu Königen und auch Fürsten,
Daß sie nicht mögen verdürsten.

Da sprach das Wasser: Bin ich so fein,
Man braucht mich in den Badstübelein,

Darin manch schöne Jungfraue
Sich badet kühl und auch laue.

Da sprach der Wein: Bin ich so fein,
Bürgermeister und Rat insgemein
Den Hut vor mir abnehmen
Im Ratskeller zu Bremen.

Da sprach das Wasser: Bin ich so fein,
Man gießt mich in die Flamm' hinein,
Mit Spritz und Eimer man rennet,
Daß Schloß und Haus nicht verbrennet.

Da sprach der Wein: Bin ich so fein,
Man schenkt mich den Doktoren ein,
Wenn's Lichtlein nit will leuchten,
Gehn sie bei mir zur Beichte.

Da sprach das Wasser: Bin ich so fein,
Zu Nürnberg auf dem Kunstbrünnlein,
Spring ich mit feinen Listen
Den Meerweiblein aus den Brüsten.

Da sprach der Wein: Bin ich so fein,
Ich spring aus Marmorbrünnelein,
Wenn sie den Kaiser krönen,
Zu Frankfurt wohl auf dem Römer.

Da sprach das Wasser: Bin ich so fein,
Es gehn die Schiffe groß und klein,
Sonn, Mond auf meiner Straßen,
Die Erd tu ich umfassen.

Da sprach der Wein: Bin ich so fein,
Man trägt mich in die Kirch hinein,
Braucht mich zum heiligen Sakramente,
Dem Menschen vor seinem Ende.

Da sprach das Wasser: Bin ich so fein,
Man trägt mich in die Kirch hinein,
Braucht mich zur heiligen Taufen,
Darf mich ums Geld nicht kaufen.

Da sprach der Wein: Bin ich so fein,
Man pflanzt mich in die Gärten hinein,
Da laß ich mich hacken und hauen
Von Männern und schönen Jungfrauen.

Da sprach das Wasser: Bin ich so fein,
Ich laufe dir über die Wurzel hinein,
Wär ich nicht an dich geronnen,
Du hättst nicht können kommen.

Da sprach der Wein: Und du hast recht,
Du bist der Meister, ich bin der Knecht,
Das Recht will ich dir lassen,
Geh du nur deiner Straßen.

Das Wasser sprach noch: Hättst du mich nicht erkannt,
Du wärst sogleich an der Sonn verbrannt! –
Sie wollten noch länger da streiten, –
Da mischte der Gastwirt die beiden.

Hannes, der Herzog zu Sagan,
Der Grimme lag in schwerem Bann,
Der Bischof wollt sich rächen,
Den Bann ließ über ihn sprechen.

»Und lieg ich auch im tiefen Bann,
So kehr ich mich kein Daumen dran,«
Tät Herzog Hannes sagen,
»Die Domherrn will ich fragen.«

»Ihr Glogschen Domherrn, kommt herbei,
Laßt mit euch reden frank und frei,
Kommt ihr zu meinen vier Pfählen,
Ihr könnt's euch selber wählen.«

»In Euren vier Pfählen geht's nicht an,
Dieweil Ihr seid in schwerem Bann,
Ruft uns zu andern Orten,
Da wollen wir Euer warten.«

Er b'stellt sie auf die Brücke schlau,
Die werten Domherrn von Glogau,
Der Herzog kam gegangen,
Die Rede tät er anfangen.

Sie sprachen viel und mancherlei,
Riz, raz, da ging der Boden entzwei,
Wohl hinter ihrem Rücken
Zersägte man die Brücken.

»Nun seht euch um, ihr Herrn gemach,«
Der Herzog grimmen Tones sprach,
»Ihr Herren, wollt ihr singen,
Ihr Herren, wollt ihr springen?«

Die Herren sahen die Wassersnot,
Sie sahen vorn und hinten Tod:
»Es muß Euch wohl gelingen,
Herr Hans, wir wollen singen.«

Und darauf gingen all nach Haus,
Der Herzog lacht sie lustig aus.
Sein Spaß, der war gelungen,
Mein Lied, das ist gesungen.

WASSERSNOT

Zu Koblenz auf der Brücken
Da lag ein tiefer Schnee,
Der Schnee, der ist verschmolzen,
Das Wasser fließt in See.

Es fließt in Liebchens Garten,
Da wohnet niemand drein,
Ich kann da lange warten,
Es wehn zwei Bäumelein.

Die sehen mit den Kronen
Noch aus dem Wasser grün,
Mein Liebchen muß drin wohnen,
Ich kann nicht zu ihr hin.

Wenn Gott mich freundlich grüßet
Aus blauer Luft und Tal,

Aus diesem Flusse grüßet
Mein Liebchen mich zumal.

Sie geht nicht auf der Brücken,
Da gehn viel schöne Fraun,
Sie tun mich viel anblicken,
Ich mag die nicht anschaun.

TAMBOURSGESELL

Ich armer Tamboursgesell,
Man führt mich aus dem Gewölb,
Ja aus dem Gewölb,
Wär ich ein Tambour blieben,
Dürft ich nicht gefangen liegen,
Nicht gefangen liegen.

O Galgen, du hohes Haus,
Du siehst so furchtbar aus,
So furchtbar aus,
Ich schau dich nicht mehr an,
Weil i weiß, i gehör daran,
Daß i gehör daran.

Wenn Soldaten vorbei marschieren,
Bei mir nit einquartieren,
Nit einquartieren,
Wann sie fragen, wer i g'wesen bin:
Tambour von der Leibkompagnie,
Von der Leibkompagnie.

Gute Nacht, ihr Marmelstein,
Ihr Berg und Hügelein,
Und Hügelein,

Gute Nacht, ihr Offizier,
Korporal und Musketier,
Und Musketier!

Gute Nacht, ihr Offizier,
Korporal und Grenadier,
Und Grenadier.
Ich schrei mit heller Stimm,
Von euch ich Urlaub nimm,
Ja Urlaub nimm!

ERNTELIED

Es ist ein Schnitter, der heißt Tod,
Hat Gewalt vom höchsten Gott,
Heut wetzt er das Messer,
Es schneidt schon viel besser,
Bald wird er drein schneiden,
Wir müssen's nur leiden.
Hüte dich, schöns Blümelein!

Was heut noch grün und frisch dasteht,
Wird morgen schon hinweggemäht:
Die edlen Narzissen,
Die Zierden der Wiesen,
Die schön Hyazinthen,
Die türkischen Binden.
Hüte dich, schöns Blümelein!

Viel hundert tausend ungezählt,
Was nur unter die Sichel fällt:
Ihr Rosen, ihr Lilien,
Euch wird er austilgen.
Auch die Kaiserkronen

Wird er nicht verschonen.
Hüte dich, schöns Blümelein!

Das himmelfarbe Ehrenpreis,
Die Tulipanen gelb und weiß,
Die silbernen Glocken,
Die goldenen Flocken,
Senkt alles zur Erden,
Was wird daraus werden?
Hüte dich, schöns Blümelein!

Ihr hübsch Lavendel, Rosmarein,
Ihr vielfärbige Röselein,
Ihr stolze Schwertlilien,
Ihr krause Basilien,
Ihr zarte Violen,
Man wird euch bald holen.
Hüte dich, schöns Blümelein!

Trotz! Tod, komm her, ich fürcht dich nicht,
Trotz! eil daher in einem Schnitt.
Werd ich nur verletzet,
so werd ich versetzet
In den himmlischen Garten,
Auf den alle wir warten.
Freu dich, du schöns Blümelein!

SOLLEN UND MÜSSEN

Ich soll und muß ein Buhlen haben,
Trabe dich, Tierlein, trabe,
Und sollt ich ihn aus der Erde graben,
Trabe dich, Tierlein, trabe.

Das Murmeltierlein hilft mir nicht,
Es hat ein mürrisch Angesicht
Und will fast immer schlafen.

DIE WIEDERGEFUNDENE KÖNIGSTOCHTER

Es hat ein König ein Töchterlein,
Mit Namen hieß es Annelein;
Es saß an einem Rainelein,
Las auf die kleinen Steinelein.

Es kam ein fremder Krämer ins Land,
Er wurf ihm dar ein seidnes Band: :|:
»Jetzt mußt du mit mir in fremde Land.«

Er trug's vor einer Frau Wirtin Haus,
Er gab's für einen Bankert aus:
»Frau Wirtin, liebe Frau Wirtin mein,
Verdinget mir mein Kindelein.«

»O ja, o ja! das will ich wohl,
Ich will ihm tun doch also wohl, :|:
Gleich wie ein Mutter ei'm Kind tun soll.«

Und als die Jahrszeit ummen war,
Und es zu seinen Jahren kam:
Es wollt ein Herr ausreiten,
Und er wollt ausgahn weiben.

Er ritt vor einer Frau Wirtin Haus,
Die schöne Magd treit ihm Wein heraus,
»Frau Wirtin, liebe Frau Wirtin mein, :|:
Ist das Euer Töchterlein?

Oder ist es Eures Sohnes Weib?
Daß es so wunderschön mag sein.« :|:

»Es ist doch nicht mein Töchterlein,
Es ist doch nicht meines Sohnes Weib,
Es ist nur mein armes Südeli,
Es weist meinen Gästen die Stübeli.«

»Frau Wirtin, liebe Frau Wirtin mein,
Erlaubet mir ein Nacht oder drei, :|:
So lang das Euer Willen mag sein!«

»O ja, o ja! das will ich wohl,
Es soll doch Euch erlaubet sein, :|:
So lang das Euer Willen mag sein.«

Er nahm schön Annelein bei der Hand,
Er führt es in eine Schlafkammer lang,
Er führt es vor ein schönes Bett,
Ob es die Nacht bei ihm schlafen wöllt.

Der Herzog zog aus sein goldiges Schwert,
Er leit es zwischen beide Herz!
Das Schwert soll weder hauen noch schneiden,
Das Annelein soll ein Mägdeli bleiben.

»Ach Annelein, kehr dich umher!
Nun klag mir deinen Kummer schwer,
Klag mir alles, was du weißt,
Was du in deinem Herzen treist.

Sag, wer ist dein Vater? Sag, wer ist deine Mutter?«
»Der Herr König ist mein Vater, Frau Königin ist meine
Mutter,

Ich hab einen Bruder, heißt Mannigfalt,
Gott weiß wohl, wo er umherfahrt.«

»Und ist dein Vater ein König,
Und ist dein Mutter eine Königin,
Hast du einen Bruder, heißt Mannigfalt;
Jetzt hab ich mein Schwesterlein an meiner Hand.«

Und wie es morgens Tage ward,
Frau Wirtin vor die Kammer trat:
»Steh auf, du schnöde Magd, steh auf,
Füll deinen Gästen die Häfelein auf!«

»O nein! laß du schön Annelein in Ruh,
Füll deine Häfelein selber zu, :|:
Mein Schwester Annelein muß's nimmer mehr tun.«

Er saß wohl auf sein hohes Pferd,
Und er sein Schwesterlein hinter ihm nahm.
Er nahm schön Annelein beim Gürtelschloß,
Er schwang's wohl hinter sich auf sein Roß.

Und wie er durch den Hof einritt,
Sein Mutter ihm entgegenschritt:
»Bist mir Gott willkommen, du Sohne mein,
Und auch dies zarte Fräuelein!«

»Es ist doch nicht mein Fräuelein! :|:
Es ist doch nur Euer liebes Kind,
Was wir so lang verloren gehan.«

Sie setzen schön Annelein oben an Tisch,
Sie geben ihm gesotten und gebratne Fisch,

Sie stecken ihm an einen güldnen Ring:
Jetzt bist du wieder mein Königskind!

GEHT DIR'S WOHL, SO DENK AN MICH

Er

Wenn ich geh vor mir auf Weg und Straßen,
Sehen mich schon alle Leute an,
Meine Augen gießen helles Wasser,
Weil ich gar nichts anders sprechen kann.

Ach, wie oft sind wir beisamm gesessen,
Manche liebe halbe stille Nacht,
Und den Schlaf, den hatten wir vergessen,
Nur mit Liebe ward sie zugebracht.

Spielet auf, ihr kleinen Musikanten,
Spielet auf ein neues, neues Lied,
Und ihr Töne, liebliche Gesandten,
Sagt ade, weil ich auf lange scheid.

Musikanten

Ach, in Trauren muß ich schlafen gehn,
Ach, in Trauren muß ich früh aufstehn,
In Trauren muß ich leben meine Zeit,
Dieweil ich nicht kann haben, die mein Herz erfreut.

Sie

Ach, ihr Berg und tiefe, tiefe Tal,
Seh ich meinen Schatz zum letztenmal?
Die Sonne, der Mond, das ganze Firmament,
Die sollen mit mir traurig sein bis an mein End.

Ach, in Trauren muß ich schlafen gehn,
Ach, in Trauren muß ich früh aufstehn,
In Trauren muß ich leben meine Zeit,
Dieweil ich nicht kann haben, die mein Herz erfreut.

Sie

Geht dir's wohl, so denke du an mich,
Geht's dir übel, ach so kränkt es mich,
Wie froh wollt ich schon sein, wenn's wohl dir geht,
Wenn schon mein jung frisch Leben in Trauren steht.

Er

Ach, ihr Berg und tiefe, tiefe Tal,
Ach, ihr seht mein Lieb noch tausendmal,
Ach tausendmal, ihr tiefe, tiefe Tal,
Ihr steht doch ewig ferne, ich nur bin ihr nah.

DER TANNHÄUSER

Nun will ich aber heben an,
Vom Tannhäuser wollen wir singen
Und was er Wunders hat getan
Mit Frau Venussinnen.

Der Tannhäuser war ein Ritter gut,
Er wollt groß Wunder schauen,
Da zog er in Frau Venus' Berg
Zu andern schönen Frauen.

»Herr Tannhäuser, Ihr seid mir lieb,
Daran sollt Ihr gedenken,
Ihr habt mir einen Eid geschworen,
Ihr wollt nicht von mir wanken.«

»Frau Venus, ich hab es nicht getan,
Ich will dem widersprechen,
Denn niemand spricht das mehr, als Ihr,
Gott helf mir zu dem Rechten.«

»Herr Tannhäuser, wie saget Ihr mir!
Ihr sollet bei uns bleiben,
Ich geb Euch meiner Gespielen ein
Zu einem ehlichen Weibe.«

»Nehme ich dann ein ander Weib,
Als ich hab in meinem Sinne,
So muß ich in der Höllenglut
Da ewiglich verbrennen.«

»Du sagst mir viel von der Höllenglut,
Du hast es doch nicht befunden,
Gedenk an meinen roten Mund,
Der lacht zu allen Stunden.«

»Was hilft mich Euer roter Mund,
Er ist mir gar unmehre,
Nun gib mir Urlaub, Frau Venus zart,
Durch aller Frauen Ehre.«

»Herr Tannhäuser, wollt Ihr Urlaub han,
Ich will Euch keinen geben,
Nun bleibet edler Tannhäuser zart,
Und frischet Euer Leben.«

»Mein Leben ist schon worden krank,
Ich kann nicht länger bleiben,
Gebt mir Urlaub, Fraue zart,
Von Eurem stolze Leibe.«

»Herr Tannhäuser, nicht sprecht also,
Ihr seid nicht wohl bei Sinnen;
Nun laßt uns in die Kammer gehn
Und spielen der heimlichen Minnen.«

»Eure Minne ist mir worden leid,
Ich hab in meinem Sinne,
O Venus, edle Jungfrau zart,
Ihr seid ein Teufelinne.«

»Tannhäuser ach, wie sprecht Ihr so,
Bestehet Ihr mich zu schelten?
Sollt Ihr noch länger bei uns sein,
Des Worts müßt Ihr entgelten.«

»Das will ich nicht, Frau Venus zart,
Ich mag nicht länger bleiben.
Maria Mutter, reine Magd,
Nun hilf mir von dem Weibe!«

»Tannhäuser, wollt Ihr Urlaub han,
Nehmt Urlaub von dem Greisen,
Und wo Ihr in dem Land umfahrt,
Mein Lob, das sollt Ihr preisen.«

Der Tannhäuser zog wieder aus dem Berg,
In Jammer und in Reuen:
»Ich will gen Rom in die fromme Stadt,
All auf den Papst vertrauen.

Nun fahr ich fröhlich auf die Bahn,
Gott muß es immer walten,
Zu einem Papst, der heißt Urban,
Ob er mich wolle behalten.

Herr Papst, Ihr geistlicher Vater mein,
Ich klag Euch meine Sünde,
Die ich mein Tag begangen hab,
Als ich Euch will verkünden.

Ich bin gewesen ein ganzes Jahr
Bei Venus, einer Frauen;
Nun will ich Beicht und Buß empfahn,
Ob ich möcht Gott anschauen.«

Der Papst hat einen Stecken weiß,
Der war vom dürren Zweige:
»Wann dieser Stecken Blätter trägt,
Sind dir deine Sünden verziehen.«

»Sollt ich leben nicht mehr denn ein Jahr,
Ein Jahr auf dieser Erden,
So wollt ich Reu und Buß empfahn,
Und Gottes Gnad erwerben.«

Da zog er wieder aus der Stadt,
In Jammer und in Leiden:
»Maria Mutter, reine Magd,
Muß ich mich von dir scheiden,

So zieh ich wieder in den Berg
Ewiglich und ohn Ende
Zu Venus, meiner Frauen zart,
Wohin mich Gott will senden.«

»Seid willkommen, Tannhäuser gut,
Ich hab Euch lang entbehret,
Willkommen seid, mein liebster Herr,
Du Held, mir treu bekehret.«

Danach wohl auf den dritten Tag,
Der Stecken hub an zu grünen;
Da sandt man Boten in alle Land,
Wohin der Tannhäuser kommen.

Da war er wieder in den Berg,
Darinnen sollt er nun bleiben
So lang bis an den Jüngsten Tag,
Wo ihn Gott will hinweisen.

Das soll nimmer kein Priester tun,
Dem Menschen Mißtrost geben,
Will er denn Buß und Reu empfahn,
Die Sünde sei ihm vergeben.

ZWEI SCHELME

Es trägt ein Jäger ein' grünen Hut,
Er trägt drei Federn auf seinem Hut,
Juchhei, Rassei! Hesasa, Faldrida!
Er trägt drei Federn auf seinem Hut.

Die eine war mit Gold beschlagen,
Das kann ein jeder Jäger tragen:
Juchhei usw.

Der Jäger, der jagt ein wildes Schwein
Bei Nacht, bei Tag, bei Mondenschein.

Er jagt über Berg und tiefe Strauß,
Er jagt ein schwarzbraunes Mädel heraus:

»Wonaus, wohin, du wildes Tier,
Ich bin ein Jäger und fang dich schier?«

»Du bist ein Jäger und fängst mich nicht,
Du kennst meine krumme Sprünglein noch nicht.«

»Deine krumme Sprünge kenn ich gar wohl,
Leid ist's mir, daß ich dich fangen soll.«

Er warf ihr das Bändlein an den Arm.
»Jetzt bin ich gefangen, daß Gott erbarm.«

Er nahm sie bei ihrem roten Rock,
Er schwang sie hinter sich auf sein Roß.

Er ritt vor seiner Frau Mutter Haus,
Frau Mutter schaute zum Fenster hinaus.

»Sei mir willkommen, o Sohne mein,
Was bringst du für ein wildes Schwein?«

»Frau Mutter, es ist kein wildes Schwein,
Es ist ein zartes Jungfräuelein.«

»Ist es ein zartes Jungfräuelein,
So soll sie mir willkommen sein.«

Sie setzt das Jungfräulein an den Tisch,
Sie trug ihr auf gut Wildbret und Fisch.

Sie trug ihr auf den besten Wein,
Das Jungfräulein wollt nicht fröhlich sein.

»Ei, iß und trink, gehab dich wohl,
Du darfst nicht sorgen, wers zahlen soll.

Ders zahlen soll, und der bin ich,
Ich hab kein lieberes Schätzel als dich.«

»Eur Herzallerliebste will ich nicht sein,
Ich bin des Edelmanns Töchterlein.«

»Und bist du des Edelmanns Töchterlein,
So sollst du mir des' lieber sein.«

Er führt sie wohl vor des Goldschmieds Haus,
Der Goldschmied schaut zum Fenster hinaus.

»Ach, allerliebster Goldschmied mein,
Schmied meinem Schatz ein Ringelein.

Schmied ihr den Ring an die linke Hand,
Ich nehm sie mit ins fremde Land.«

»Ins fremde Land, da will ich nicht,
Du bist ein Schalk, ich trau dir nicht.«

Sie gingen miteinander den Berg hinauf,
Er setzte sie nieder an einem Baum.

Er bricht herab einen grünen Zweig,
Und machet das Mädel zu seinem Weib.

Da lachet das Mädel so sehr vermessen:
»Ach, edler Jäger, eins hab ich vergessen.

Wenn mich mein Mutter nun jaget hinaus,
Wo lag denn deiner Frau Mutter ihr Haus?«

»Der Mutter ihr Haus steht unten am Rhein,
Es ist gebauet von Marmelstein.

Es hat weder Weg, es hat weder Steg,
Feins Mädel, scher dich deiner Weg.

Ich bin ein Schelm, du traust mir nicht,
Du bist nicht ehrlich, ich werf auf dich.«

Als sie ein Stück Wegs hinaus kommt gegangen,
Ihr Mutter begegnet ihr mit der Stangen.

»Wo bist du gewesen, du faule Haut,
Du bist wohl gewesen des Jägers Braut.

Wann andre Mädchen zu Tanz gehn und springen,
Du mußt bei der Wiege stehn und singen.«

Man singt bei Met und kühlem Wein
Wohl von dem zarten Kindelein.

Schlaf ein, schlaf ein, feins Kindlein mein,
Wo wird wohl dein Vater der Jäger sein?
Juchhei, Rassei! Hesasa, Faldrida!
Im Elsaß, da wirst du ihn finden.

MAILIED

Im Maien, im Maien ist's lieblich und schön,
Da finden sich viel Kurzweil und Wonn';
Frau Nachtigall singet,
Die Lerche sich schwinget
Über Berg und über Tal.

Die Pforten der Erde, die schließen sich auf
Und lassen so manches Blümlein herauf,
Als Lilien und Rosen,
Violen, Zeitlosen,
Zypressen und auch Nägelein.

In solchen wohlriechenden Blümlein zart
Spazieret ein Jungfrau von edeler Art;
Sie windet und bindet
Gar zierlich und fein
Ihrem Herzallerliebsten ein Kränzelein.

Da herzt man, da scherzt man, da freut man sich,
Da singt man, da springt man, da ist man fröhlich;
Da klaget ein Liebchen
Dem andern sein' Not,
Da küßt man so manches Mündlein rot.

Ach Scheiden, ach Scheiden, du schneidendes Schwert,
Du hast mir mein junges frisch Herzlein verkehrt.
Wiederkommen macht,
Daß man Scheiden nicht acht't;
Ade, zu tausend guter Nacht.

Im Maien, im Maien, da freuet man sich,
Da singt man, da springt man, da ist man fröhlich,
Da kommet so manches
Liebchen zusammen;
Ade, in tausend Gottes Namen.

ABLÖSUNG

Kuckuck hat sich zu Tod gefallen
An einer hohlen Weiden,
Wer soll uns diesen Sommer lang
Die Zeit und Weil vertreiben?
Ei, das soll tun Frau Nachtigall,
Die sitzt auf grünem Zweige,
Sie singt und springt, ist allzeit froh,
Wenn andre Vögel schweigen.

UNBESCHREIBLICHE FREUDE

Wer ist denn draußen und klopfet an,
Der mich so leise wecken kann?
Das ist der Herzallerliebste dein,
Steh auf und laß mich zu dir ein.

Das Mädchen stand auf und ließ ihn ein
Mit seinem schneeweißen Hemdelein;
Mit seinen schneeweißen Beinen,
Das Mädchen fing an zu weinen.

Ach weine nicht, du Liebste mein,
Aufs Jahr sollst du mein eigen sein;
Mein eigen sollst du werden,
O Liebe auf grüner Erden.

Ich wollt, daß alle Felder wären Papier,
Und alle Studenten schrieben hier,
Sie schrieben ja hier die liebe lange Nacht,
Sie schrieben uns beiden die Liebe doch nicht ab.

FRAU NACHTIGALL

Nachtigall, ich hör dich singen,
Das Herz möcht mir im Leib zerspringen;
Komme doch und sag mir bald,
Wie ich mich verhalten soll.

Nachtigall, ich seh dich laufen,
An dem Bächlein tust du saufen,
Du tunkst dein klein Schnäblein ein,
Meinst, es wär der beste Wein.

Nachtigall, wo ist gut wohnen?
Auf den Linden, in den Kronen,
Bei der schön Frau Nachtigall –
Grüß mein Schätzchen tausendmal.

DER BETTELVOGT

Ich war noch so jung und war doch schon arm,
Kein Geld hatt' ich gar nicht, daß Gott sich erbarm!
So nahm ich meinen Stab und meinen Bettelsack
Und pfiff das Vaterunser den lieben langen Tag.

Und als ich kam vor Heidelberg hinan,
Da packten mich die Bettelvögte gleich hinten und vornen
an;
Der eine packt mich hinten, der andre packt mich vorn:
»Ei, ihr verfluchte Bettelvögt, so laßt mich ungeschorn!«

Und als ich kam vors Bettelvogt sein Haus,
Da schaut der alte Spitzbub zum Fenster heraus.
Ich dreh mich gleich herum und seh nach seiner Frau:
»Ei, du verfluchter Bettelvogt, wie schön ist deine Frau!«

Der Bettelvogt, der faßt einen grimmen Zorn,
Er läßt mich ja setzen im tiefen, tiefen Turm,
Im tiefen, tiefen Turm bei Wasser und bei Brot:
»Ei, du verfluchter Bettelvogt, krieg du die schwerste Not!«

Und wenn der Bettelvogt gestorben erst ist,
Man sollt ihn nicht begraben wie 'nen andern Christ,
Lebendig ihn begraben bei Wasser und bei Brot,
Wie mich der alte Bettelvogt begraben ohne Not.

Ihr Brüder, seid nun lustig, der Bettelvogt ist tot,
Er hängt schon im Galgen ganz schwer und voller Not;
In der verwichnen Woch am Dienstag um halber neun,
Da haben sie 'n gehangen in Galgen fest hinein.

Er hätt die schöne Frau beinahe umgebracht,
Weil sie mich armen Lumpen freundlich angelacht.
In der vergangenen Woch, da sah er noch hinaus,
Und heut bin ich bei ihr in seinem Haus.

TRINKLIED

Ich ging einmal nach Grasdorf nein,
Da kam ich vor die Schenke,
Und da ich vor die Schenke kam,
Da fing mich an zu dursten.
Der Wirt, der setzt mich oben an,
Er dacht, ich wär der beste.
Ei Mutter Gottes ja,
Mainblümlein bla,
Wie lachten die andern Gäste.

Und weil ich nun gegessen hatt',
Da sollt ich auch bezahlen,

Da fragt ich, was die Mahlzeit kost',
Da sprach der Wirt: ein Taler.
Ei Mutter Gottes ja,
Mainblümlein bla,
Da hatt' ich keinen Taler.

Der Wirt, der zog mein Röckle aus,
Und jagt mich in die Scheune,
Ei Mutter Gottes ja, Mainblümlein bla,
Wie lang war mir die Weile.
Und als es gegen Morgen kam,
Da träufelt's von dem Dache.
Ei Mutter Gottes ja,
Mainblümlein bla,
Da mußt ich selber lachen.

Und als es gegen Mittag kam,
da zog der Wirt mir's Käpple aus,
Und jagt mich auf die Straße.
Und als ich auf die Straße kam,
Die Schuh warn sehr zerbrochen.
Ei Mutter Gottes ja,
Mainblümlein bla,
Da lief ich auf den Socken.

HUM FAULER LENZ

Es wollt eine Frau zu Weine gahn. Hum fauler Lenz.
Und wollt den Mann nicht mit sich han. Ha ha ha.

Du mußt zu Hause bleiben. Hum fauler Lenz.
Sollst Küh und Kälber treiben. Ha ha ha.

Ach Mann, was hast du dann getan. Hum fauler Lenz.
Du hast den Rahm gefressen ab. Ha ha ha.

Und hast die Molken lassen stahn. Hum fauler Lenz.
Dafür mußt du jetzt Prügel han. Ha ha ha.

Die Frau ergriff den Blaul. Hum fauler Lenz.
Und schlug den Mann aufs Maul. Ha ha ha.

Der kroch zum Hühnerloch hinaus. Hum fauler Lenz.
Wohl in das nächste Nachbarhaus. Ha ha ha.

Ach Nachbar, ich muß klagen. Hum fauler Lenz.
Mein Frau hat mich geschlagen. Ha ha ha.

»So ist mir gestern auch geschehn.« Hum fauler Lenz.
So will ich wieder heime gehn. Ha ha ha.

VON ZWÖLF KNABEN

Mein Mutter zeihet mich,
Zwölf Knaben freien mich.

Der erst, der tät mir winken,
Der ander mein gedenken,

Der dritt, der trat mir auf den Fuß,
Der viert bot mir einen freundlichen Gruß,

Der fünft bot mir das Fingerlein,
Der sechst, der mußt mein eigen sein,

Der siebent bot mir das rote Gold,
Der acht war mir von Herzen hold,

82

Der neunt lag mir an meinem Arm,
Der zehnt, der war noch nicht erwarmt,

Der elfte war mein ehlich Mann,
Der zwölft ging in der Still davon.

Die zwölf Knaben gut,
Zwölf Knaben gut,

Dieselbigen zwölf Knaben gut,
Die führten einen guten frischen freien Mut.

Was machen zwölfe hie?
Ein Dutzend machen sie.

KURZE WEILE

So wünsch ich ihr ein gute Nacht,
Bei der ich war alleine,
Kein traurig Wort sie zu mir sprach,
Da wir uns sollten scheiden:
»Scheid nicht mit Leid,
Gott weiß die Zeit,
Die Wiederkehr bringt Freuden.«

Da ich am jüngsten bei ihr war,
Ihr Angesicht wollt röten;
Das hat die rote Sonn getan,
Als wir in Scheidensnöten;
Viel Scherz, viel Schmerz
Brach ihr das Herz,
Das bin ich innen worden.

Das Mägdlein an der Zinnen stand,
Hub kläglich an zu weinen:
»Gedenk daran, du junger Knab,
Laß mich nicht lang alleine,
Kehr wieder bald,
Dein lieb Gestalt
Löst mich aus schweren Träumen.«

Der Knabe über die Heide ritt,
Sein Rößlein warf er rumme:
»Gedenk daran, mein feines Lieb,
Dein Red werf du nicht umme,
Beschertes Glück
Nimm nie zurück,
Ade, ich fahr mein Straßen.«

Der uns das Liedlein neues sang,
Von neuem hat's gesungen,
Das hat getan ein freier Knab,
Ist ihm gar wohl gelungen;
Er singt uns das,
Darzu noch baß
Hat's Mägdlein überkommen.

MÜLLERS ABSCHIED

Da droben auf jenem Berge
Da steht ein goldnes Haus,
Da schauen wohl alle Frühmorgen
Drei schöne Jungfrauen heraus.
Die eine, die heißet Elisabeth,
Die andre Bernharda mein,
Die dritte, die will ich nicht nennen,
Die sollt mein eigen sein.

Da unten in jenem Tale
Da treibt das Wasser ein Rad,
Das treibet nichts als Liebe
Vom Abend bis wieder an Tag;
Das Rad, das ist gebrochen,
Die Liebe, die hat ein End,
Und wenn zwei Liebende scheiden,
Sie reichen einander die Händ.

Ach Scheiden, ach, ach!
Wer hat doch das Scheiden erdacht,
Das hat mein jung frisch Herzelein
So frühzeitig traurig gemacht.
Dies Liedlein, ach, ach!
Hat wohl ein Müller erdacht,
Den hat des Ritters Töchterlein
Vom Lieben zum Scheiden gebracht.

ARMER KINDER BETTLERLIED

Es sungen drei Engel einen süßen Gesang,
Mit Freuden es im Himmel klang;
Sie jauchzten fröhlich auch dabei,
Daß Petrus sei von Sünden frei,
Von Sünden frei.

Denn als der Herr Jesus zu Tische saß,
Mit seinen zwölf Jüngern das Abendmal aß,
So sprach der Herr Jesus: »Was stehst du hier,
Wenn ich dich ansehe, so weinest du mir,
So weinest du mir.«

»Ach, sollt ich nicht weinen, du gütiger Gott!
Ich hab übertreten die zehen Gebot;

Ich gehe und weine ja bitterlich,
Ach komm, erbarme dich über mich,
Ach, über mich!«

»Hast du dann übertreten die zehen Gebot,
So fall auf die Knie und bete zu Gott,
Und bete zu Gott nur allezeit,
So wirst du erlangen die himmlische Freud,
Die himmlische Freud.«

Die himmlische Freud ist eine selige Stadt,
Die himmlische Freud, die kein End mehr hat,
Die himmlische Freude war Petro bereit
Durch Jesum und allen zur Seligkeit,
Zur Seligkeit.

STEH AUF, NORDWIND

Steh auf, Nordwind,
Und komm, Südwind!
Weh mit deiner heilgen Luft
Durch den Garten,
Ich will warten
Dein in meines Herzens Gruft;
Laß dein Sausen
Auf mich brausen,
Meine Seele nach dir ruft.

Steh auf, Nordwind,
Und komm, Südwind!
Jag die schwarzen Wolken hin!
Mach das Dunkle,
Daß es funkle,
Alle Finsternis zerrinn!

Finstre Sünden
Laß verschwinden,
Und mach helle Herz und Sinn.

Steh auf, Nordwind,
Und komm, Südwind!
Mach mein kaltes Herze heiß,
Dich zu lieben,
Das zu üben,
Was gereicht zu deinem Preis.
Sei mir günstig,
Mach mich brünstig,
In mein Herz die Liebe geuß.

HEIMLICHER LIEBE PEIN

Mein Schatz, der ist auf die Wanderschaft hin,
Ich weiß aber nicht, was ich so traurig bin,
Vielleicht ist er tot und liegt in guter Ruh,
Drum bring ich mein Zeit so traurig zu.

Als ich mit meim Schatz in die Kirch wollte gehn,
Viel falsche, falsche Zungen unter der Türe stehn.
Die eine redt dies, die andre redt das,
Das macht mir gar oft die Äugelein naß.

Die Disteln und die Dornen, die stechen also sehr,
Die falschen, falschen Zungen aber noch viel mehr,
Kein Feuer auf Erden auch brennet also heiß,
Als heimliche Liebe, die niemand nicht weiß.

Ach herzlieber Schatz, ich bitte dich noch eins,
Du wollest auch bei meiner Begräbnis sein,

Bei meiner Begräbnis bis ins kühle Grab,
Dieweil ich dich so treulich geliebet hab.

Ach Gott! was hat mein Vater und Mutter getan,
Sie haben mich gezwungen zu einem ehrlichen Mann,
Zu einem ehrlichen Mann, den ich nicht geliebt,
Das macht mir ja mein Herz so betrübt.

ADE ZUR GUTEN NACHT

Der Mond, der steht am höchsten,
Die Sonn will untergehn,
Mein Feinslieb liegt in Nöten,
Ach Gott, wie soll's ihr gehn,
In Regen und in Wind,
Wo soll ich mich hinkehren,
Da ich mein Feinslieb find!

Mein Feinslieb wollt mich lehren,
Wie ich ihr dienen soll,
In Züchten und in Ehren,
Das weiß ich selbst gar wohl,
Und kann auch noch viel mehr:
Wer sich seins Buhlen rühmet,
Dem bringt es wenig Ehr.

Mancher geht zu seinem Buhlen
Bei lichtem Mondenschein.
Was gibt sie ihm zum Lohne?
Ein Rosenkränzelein,
Ist grüner als der Klee:
Ich muß mich von dir scheiden,
Tut meinem Herzen weh.

Ach Scheiden über Scheiden,
Wer hat dich doch erdacht,
Hast mir mein junges Herze
Aus Freund in Trauren bracht,
Dazu in Ungemach.
Dir ist's, schöns Lieb, gesungen,
Ade zu guter Nacht.

WOLLTE GOTT

Meiner Frauen roter Mund,
Der brennt recht scharlachfarb,
Er brennt recht wie ein rote Ros'
In ihrer ersten Blüt.
Er brennt recht wie der rot Rubin
In Goldes Farb,
Er brennt recht wie ein heiße Kohl,
Liegt in des Feuers Glut.

Ihr Hälslein weiß, ihr schwarze Äuglein klar,
Dazu trägt sie ein goldfarb krauses Haar,
Ihr werter Leib ist weißer als kein Hermelein,
Kein Meister lebt auf dieser Erd,
Der mir's malen könnt so fein.

Wollt Gott, wär ich ein lauter Spiegelglas!
Daß sich die allerschönste Frau
All Morgen vor mir pflanzieret;
Wollt Gott, wär ich ein seiden Hemdlein weiß,
Daß mich die allerschönste Frau
An ihrem Leibe trüge.

Wollt Gott, wär ich ein rot Goldringelein!
Daß mich die allerschönste Frau

An ihre Händlein zwinge;
Wollt Gott, wär ich ein Eichhorn traun
Und spräng auf ihren Schoß,
Von rechter Liebe sie mich in ihr Ärmlein schloß,
Sie küßt mich an mein rosenfarbes Mündlein,
Das nehm ich für des Kaisers Gut,
Sollt ich drum desto ärmer sein.

DIE WELT GEHT IM SPRINGEN

Die Sonne rennt mit Prangen
Durch ihre Frühlingsbahn
Und lacht mit ihren Wangen
Den runden Weltkreis an.

Der Himmel kömmt zur Erden,
Erwärmt und macht sie naß,
Drum muß sie schwanger werden,
Gebieret Laub und Gras.

Der Westwind läßt sich hören,
Die Flora seine Braut,
Aus Liebe zu verehren,
Mit Blumen, Gras und Kraut.

Die Vögel kommen nisten
Aus fremden Ländern her
Und hängen nach den Lüsten,
Die Schiffe gehn ins Meer.

KINDEREI

Als sich der Hahn tät krähen,
Da war es noch lange nicht Tag,

Da gingen die jungen Gesellchen
Spazieren die ganze Nacht.

Und als sie lange gegangen,
Da wollten sie gerne herein.
»Steh auf, steh auf, Feinsliebchen,
Steh auf und laß mich ein.«

»Ich steh noch nicht auf fürwahr,
Ich laß dich fürwahr nicht herein,
Ich kenne dich ja an der Sprache,
Daß du es mein Schätzchen nicht seist.«

»Kennst du es mich an der Sprache,
Daß ich es dein Schätzchen nicht sei,
So stecke du an nur dein Kerzchen,
Dann siehest du, wer ich bin.«

»Kein Fünkchen mehr in der Asche ist,
Mein Kerzchen ist längst ausgebrannt,
Adi, adi, mein Engelsschätzchen,
Jetzt reis' ich nach Engelland.«

»Nach Engelland will ich dich fahren,
Ich bin ein Schiffman gut,
Du bist in deinen Jahren
Noch immer kindisch genug.«

LIEBESWÜNSCHE

Auf der Welt hab ich kein Freud,
Ich hab ein Schatz, und der ist weit;
Wenn ich nur mit ihm reden könnt,
So wär mein ganzes Herz gesund.

Frau Nachtigall, Frau Nachtigall!
Grüß meinen Schatz viel tausendmal,
Grüß ihn so hübsch, grüß ihn so fein,
Sag ihm, er soll mein eigen sein.

Und komm ich vor ein Goldschmiedshaus,
Der Goldschmied schaut zum Fenster raus:
Ach Goldschmied, liebster Goldschmied mein,
Schmied mir ein feines Ringelein.

Schmied's nicht zu groß, schmied's nicht zu klein,
Schmied's für ein schönes Fingerlein,
Auch schmied mir meinen Namen dran,
Es soll's mein Herzallerliebster han.

Hätt ich ein Schlüssel von rotem Gold,
Mein Herz ich dir aufschließen wollt,
Ein schönes Bild, das ist darein,
Mein Schatz, es muß dein eignes sein.

Wenn ich nur ein klein Waldvöglein wär,
So säß ich auf dem grünen Zweig;
Und wenn ich genug gepfiffen hätt,
Flög ich zu dir, mein Schatz.

Wenn ich zwei Taubenflügel hätt,
Wollt fliegen über die ganze Welt;
Ich wollt fliegen über Berg und Tal
Hin, wo mein Herzallerliebster wär.

Und wenn ich endlich bei dir wär,
Und du redst dann kein Wort mit mir,
Müßt ich in Trauren wieder fort,
Adje, mein Schatz, adje.

Auf dieser Welt hab ich keine Freud,
Ich hab einen Schatz, und der ist weit,
Er ist so weit, er ist nicht hier,
Ach, wenn ich bei mein Schätzchen wär!

Ich kann nicht sitzen und kann nicht stehn,
Ich muß zu meinem Schätzchen gehn,
Zu meinem Schatz da muß ich gehn,
Und sollt ich vor dem Fenster stehn.

»Wer ist denn draußen, wer klopfet an,
Der mich so leis aufwecken kann?«
»Es ist der Herzallerliebste dein,
Steh auf, steh auf und laß mich rein!«

»Ich steh nicht auf, laß dich nicht rein,
Bis meine Eltern zu Bette sein;
Wenn meine Eltern zu Bette sein;
So steh ich auf und laß dich rein.«

Was soll ich hier nun länger stehn,
Ich seh die Morgenröt aufgehn,
Die Morgenröt, zwei helle Stern,
Bei meinem Schatz, da wär ich gern.

Da stand sie auf und ließ ihn ein,
Sie heißt ihn auch willkommen sein,
Sie reicht ihm die schneeweiße Hand,
Da fängt sie auch zu weinen an.

Wein nicht, wein nicht, mein Engelein!
Aufs Jahr sollst du mein eigen sein,

Mein eigen sollst du werden,
Sonst keine auf der Erden.

Ich zieh in Krieg auf grüne Heid,
Grüne Heid, die liegt von hier so weit,
Allwo die schönen Trompeten blasen,
Das ist mein Haus von grünem Rasen.

Ein Bildchen laß ich malen mir
Auf meinem Herzen trag ich's hier,
Darauf sollst du gemalet sein,
Daß ich niemal vergesse dein.

SELBSTGEFÜHL

Ich weiß nicht, wie mir's ist,
Ich bin nicht krank und bin nicht gesund,
Ich bin blessiert und hab keine Wund.

Ich weiß nicht, wie mir's ist,
Ich tät gern essen und geschmeckt mir nichts,
Ich hab ein Geld und gilt mir nichts.

Ich weiß nicht, wie mir's ist,
Ich hab sogar kein Schnupftabak,
Und hab kein Kreuzer Geld im Sack.

Ich weiß nicht, wie mir's ist,
Heiraten tät ich auch schon gern,
Kann aber Kinderschrein nicht hörn.

Ich weiß nicht, wie mir's ist,
Ich hab erst heut den Doktor gefragt,
Der hat mir's unters Gesicht gesagt:

Ich weiß wohl, was dir ist,
Ein Narr bist du gewiß;
Nun weiß ich, wie mir ist!

RÜCKFALL DER KRANKHEIT

Soll ich denn sterben,
Bin noch so jung?
Wenn das mein Vater wüßt,
Daß ich schon sterben müßt,
Er tät sich kränken
Bis in den Tod.
Wenn es die Mutter wüßt,
Wenn es die Schwester wüßt,
täten sich härmen
Bis in den Tod.
Wenn es mein Mädel wüßt,
Daß ich schon sterben müßt,
Sie tät sich kränken
Mit mir ins Grab.

MÜLLERLIED

Der Müller auf seim Rößlein saß,
Gar wohl er in die Mühle sah,
Er tät dem Anneli winken:
O Annelin, liebstes Annelin mein,
Hilf mir den Wein austrinken.

Und da der Wein austrunken war,
Da kam ein grober Bauer dar,
Er bracht dem Müller Säcke,
Der Müller dacht in seinem Sinn,
Hätt Korn ich drein gemessen.

Der Müller in die Mühle trat,
Er wünscht den Säcken guten Tag,
Tät in die Lauten schlagen,
Und welcher Sack nit tanzen will,
Den nimmt er bei dem Kragen.

Das Bäuerlein in die Mühle trat,
Er wünscht dem Müller guten Tag,
Dazu ein guten Morgen.
Dank hab, Dank hab, du grober Bauer,
Was willst du bei mir holen?

Das Bäuerlein in die Mühle schreit:
Müller, hast mir das Mehl bereit?
Du hast mir's halber gestohlen.
Du lügst, du lügst, du grober Bauer,
Ist mir in der Mühl verstoben.

Das Bäuerlein aus der Mühle trat,
Das Annelin ihm die Wahrheit sagt:
Du hast der Kleie vergessen.
Ach nein, ach nein, liebs Annelin
Des Müllers Schwein hans gessen.

Der Müller hätt die fettsten Schwein,
Die in dem Lande mögen sein,
Er mäst's aus Bauern Säcken.
Da muß sich mancher arme Bauer
Sein Mägd und Knecht früh wecken.

Der Müller war so gar verwegen,
Er ist dem Bauer in Weg gelegen,
Es hat ihn sehr verdrossen,

Dasselbig tat das Müllerlein gut,
Ist ihm gar übel erschossen.

Der Müller gäb ein Batzen drum,
Daß man ihm's Liedlein nimmer sung,
Er tut's gar übel hassen,
Singt man das in der Stuben nit,
So singt man's auf der Gassen.

Der uns das Liedlein neu gesang,
Ein grober Bauer ist er genannt.
Er hat's gar wohl gesungen,
Er hat drei Säck in die Mühle getan,
Sind ihm zwei wiederkommen.

LINDENSCHMIDT

Es ist nicht lange, daß es geschah,
Daß man den Lindenschmidt reiten sah
Auf einem hohen Rosse.
Er reitet den Rheinstrom auf und ab,
Er hat ihn gar wohl genossen.

»Frisch her, ihr lieben Gesellen mein!
Es muß jetzt nur gewaget sein,
Wagen das tut gewinnen.
Wir wollen reiten Tag und Nacht,
Bis wir die Beute gewinnen!«

Dem Markgrafen von Baden kam neue Mär,
Wie man ihm ins Geleit gefallen wär,
Das tät ihn sehr verdrießen.
Wie bald er Junker Kasparn schrieb
Er sollt ihm ein Reislein dienen.

Junker Kaspar zog 'n Bäuerlein eine Kappe an,
Er schickt ihn allzeit vorn dran
Wohl auf die freie Straßen,
Ob er den edlen Lindenschmidt find,
Denselben sollt er verraten.

Das Bäuerlein schiffet über den Rhein,
Er kehret zu Frankental ins Wirtshaus ein:
»Wirt, haben wir nichts zu essen?
Es kommen drei Wagen, sind wohl beladen,
Von Frankfurt aus der Messen.«

Der Wirt, der sprach dem Bäuerlein zu:
»Ja, Wein und Brot hab ich genug!
Im Stalle da stehen drei Rosse,
Die sind des edlen Lindenschmidts,
Er nährt sich auf freier Straßem.«

Das Bäuerlein gedacht in seinem Mut:
Die Sache wird noch werden gut,
Den Feind hab ich vernommen.
Alsbald er Junker Kasparn schrieb,
Daß er sollt eilends kommen.

Der Lindenschmidt hätt einen Sohn,
Der sollt den Rossen das Futter tun,
Den Haber tät er schwingen:
»Steht auf, herzlieber Vater mein!
Ich höre die Harnische klingen.«

Der Lindenschmidt lag hinterm Tisch und schlief,
Sein Sohn, der tät so manchen Rief,
Der Schlaf hat ihn bezwungen:

»Steht auf, herzliebster Vater mein!
Der Verräter ist schon gekommen.«

Junker Kaspar zu der Stuben eintrat,
Der Lindenschmidt von Herzen sehr erschrak.
»Lindenschmidt, gib dich gefangen!
Zu Baden an den Galgen hoch
Daran sollst du bald hangen.«

Der Lindenschmidt war ein freier Reutersmann,
Wie bald er zu der Klingen sprang:
»Wir wollen erst ritterlich fechten!«
Es waren der Bluthund allzuviel,
Sie schlugen ihn zu der Erden.

»Kann und mag es dann nicht anders sein,
So bitt ich um den liebsten Sohn mein,
Auch um meinen Reutersjungen,
Haben sie jemanden Leids getan,
Dazu hab ich sie gezwungen.«

Junker Kaspar, der sprach nein dazu:
»Das Kalb muß entgelten der Kuh,
Es soll dir nicht gelingen!
Zu Baden, in der werten Stadt,
Muß ihm sein Haupt abspringen!«

Sie wurden alle drei nach Baden gebracht,
Sie saßen nicht länger als eine Nacht;
Wohl zu derselben Stunde
Da ward der Lindenschmidt gericht,
Sein Sohn und Reutersjunge.

»Ich will zu Land ausreiten,«
Sprach Meister Hildebrandt,
»Wer wird die Weg mir weisen
Gen Bern wohl in das Land?
Unkund sind sie geworden
Mir manchen lieben Tag,
In zweiunddreißig Jahren
Frau Utten ich nicht sah.«

»Willst du zu Land ausreiten,«
Sprach Herzog Amelung,
Was begegnet dir auf der Heiden?
Ein stolzer Degen jung,
Was begegnet dir in der Marke?
Der junge Hildebrandt,
Ja, rittest du selb zwölfe,
Von ihm würdst angerannt.«

»Und rennet er mich an
In seinem Übermut,
Zerhau ich seinen grünen Schild,
Das tut ihm nimmer gut,
Zerhau ihm seine Bande,
Mit einem Schriemenschlag,
Daß er's ein ganzes Jahr
Der Mutter klagen mag.«

»Und das sollt du nicht tun!«
Herr Dieterich wohl spricht,
»Denn dieser junge Hildebrandt
Ist mir von Herzen lieb.
Zu ihm sollst freundlich sprechen

Wohl durch den Willen mein,
Daß er dich lasse reiten,
So lieb ich ihm mag sein.«

Da er zum Rosengarten reit
Wohl in der Berner Mark,
Er kam in viel Arbeit;
Von einem Helden stark,
Von einem Helden jung
Ward er da angerannt.
»Nun sage mir, viel Alter,
Was suchst in Vaters Land?

Du führst den Harnisch eben,
Wie eines Königs Kind;
Du machst mich jungen Helden
Mit sehnden Augen blind;
Du sollst daheime bleiben,
Beim guten Hausgemach,
Bei einer heißen Glute.«
Der Alte lacht und sprach:

»Sollt ich daheime bleiben
Bei gutem Hausgemach?
Ich bin in allen Tagen
Zu Reisen aufgesetzt,
Zu reisen und zu fechten
Bis auf mein Heimefahrt;
Das sag ich dir, viel Junger,
Drauf grauet mir der Bart.«

»Dein Bart will ich ausraufen,
Das sag ich, alter Mann,
Daß dir dein rosenfarbnes Blut

Die Wangen überläuft;
Dein Harnisch und dein grünes Schild
Mußt du mir hierauf geben,
Dazu auch mein Gefangner sein,
Willst du behalten Leben.«

»Mein Harnisch und mein grünes Schild
Mich haben oft ernähret;
Ich traue Christ vom Himmel wohl,
Ich will mich deiner wehren.«
Sie ließen von den Worten
Und zogen scharfe Schwert;
Was diese zwei begehrten,
Des wurden sie gewährt.

Ich weiß nicht, wie der Junge
Dem Alten gab ein'n Schlag,
Des sich der alte Hildebrandt
Von Herzen sehr erschrak;
Sprang hinter sich zurücke,
Wohl etlich Klafter weit:
»Nun sag du mir, viel Junger,
Den Streich lehrt dich ein Weib?«

»Sollt ich von Weibern lernen,
Das wäre mir ja Schand,
Ich hab viel Ritter, Grafen
In meines Vaters Land;
Auch sind viel Ritter, Grafen
An meines Vaters Hof,
Was ich nicht lernet hab,
Das lern ich heute noch.«

Er nahm ihn in der Mitte,
Da er am schwächsten war,
Und schwang ihn dann zurücke,
Wohl in das grüne Gras.
»Nun sage mir, viel Junger,
Dein Beichtvater will ich sein,
Bist du ein junger Wolfinger,
Von mir sollt du genesen.

Wer sich an alte Kessel reibt,
Empfahet gerne Rahm,
Also geschiehet dir Jungen
Von mir altem Mann;
Dein Geist muß du aufgeben
Auf dieser Heiden grün,
Das sag ich dir gar eben,
Du junger Helde kühn.«

»Du sagst mir viel von Wölfen,
Die laufen in das Holz,
Ich bin ein edler Degen
Aus deutschem Lande stolz.
Mein Mutter heißt Frau Utte,
Die edle Herzogin,
Und Hildebrandt der Alte
Der liebste Vater mein.«

»Heißt deine Mutter Utte,
Die edle Herzogin,
So bin ich Hildebrandt der Alte,
Der liebste Vater dein!«
Aufschloß er seinen grünen Helm,

Küßt ihm auf seinen Mund:
»Nun muß es Gott gelobet sein!
Wir sind noch beid gesund.«

»Ach Vater, liebster Vater!
Die Wund, die ich geschlagen,
Die wollt ich dreimal lieber
An meinem Haupte tragen.«
»Nun schweig, mein lieber Sohn!
Der Wunden wird wohl Rat,
Nun muß es Gott gelobet sein,
Der uns zusammen bracht!«

Das währte nun von neune
Bis zu der Vesperzeit,
Allda der junge Hildebrandt
Zu Bernen einher reit.
Was führt er auf dem Helme?
Von Gold ein Kreuzelein.
Was führt er auf der Seiten?
Den liebsten Vater sein.

Er führt ihn zu der Mutter Haus,
Ihn oben an zu Tisch,
Und bot ihm Essen und Trinken,
Das deucht der Mutter fremd:
»Ach Sohne, liebster Sohne mein,
Der Ehren ist zu viel,
Du setzest den gefangnen Mann
Ja oben an den Tisch.«

»Nun schweiget, liebste Mutter,
Und höret, was ich sage:
Er hätt mich auf der Heiden

Schier gar zu Tod geschlagen.
Nun hört mich, liebe Mutter!
Gefangner sollte sein,
Herr Hildebrandt der Alte,
Der liebste Vater mein?

Ach Mutter, liebste Mutter!
Ihm bietet Zucht und Ehr.«
Da hub sie an zu schenken
Und trug's ihm selber her.
Er trank, und hatt' im Munde
Von Gold ein Ringelein,
Das fiel da in den Becher
Der lieben Frauen sein.

DER MARIA GEBURT

Gleich wie die lieb Waldvögelein
Mit ihren Stimmen groß und klein
Frühmorgens lieblich singen,
Sobald anbricht die Morgenröt
Wenn's purpurfarb am Himmel steht,
In Berg und Tal sie klingen.

Also, ihr Menschen. kommt herbei,
Laßt hören eure Melodei,
Das Kindelein zu grüßen.
Heut fröhlich sein Geburtstag fällt,
Sankt Anna bringt es auf die Welt,
Es lasset euch genießen.

Die Morgenröt so kühl und naß,
Die schönen Blumen, Laub und Gras
Sich alle freundlich neigen,

Weil dieses Kind mit Gütigkeit
Erquicket ihre Mattigkeit,
Sie ihren Dank so zeigen.

Also, weil wie der Morgentau,
Heut aufgeht unsre liebe Frau
Zum Trost der armen Seelen,
In Demut grüß sie jedermann,
Denn sie ist's, die uns trösten kann
In aller Trauer Quälen.

DER ENGLISCHE GRUSS

Es wollt gut Jäger jagen,
Wollt jagen auf Himmels Höhn,
Was begegnet ihm auf der Heiden?
Maria, die Jungfrau schön.

Der Jäger, den ich meine,
Der ist uns wohlbekannt,
Er jagt mit einem Engel,
Gabriel ist er genannt.

Der Jäger blies in sein Hörnlein,
Es lautet also wohl:
»Gegrüßt seist du Maria,
Du bist aller Gnaden voll.

Gegrüßt seist du Maria,
Du edle Jungfrau fein,
Dein Leib soll dir gebären
Ein kleines Kindelein.

Dein Leib soll dir gebären
Ein Kindlein ohn einen Mann,
Das Himmel und die Erde
Einsmals zwingen kann.«

Maria die viel reine,
Fiel nieder auf ihre Knie,
Dann bat sie Gott vom Himmel:
»Dein Will gescheh allhie.

Dein Will, der soll geschehen
Ohn Pein und sonder Schmerz.«
Da empfing sie Jesum Christum
Unter ihr jungfräuliches Herz.

DAS LEIDEN DES HERREN

Christus, der Herr, im Garten ging,
Sein bittres Leiden bald anfing;
Da trauert Laub und grünes Gras,
Weil Judas seiner bald vergaß.

Sehr fälschlich er ihn herging,
Ein schnödel Geld dafür empfing,
Verkaufte seinen Gott und Herrn,
Das sahen die Juden herzlich gern.

Sie gingen in den Garten hin
Mit zornigem und bösem Sinn,
Mit spieß und Stangen die lose Rott,
Gefangen nahmen unsern Gott.

Sie führten ihn ins Richters Haus,
Mit scharfen Striemen wieder 'raus;

Gegeißelt und mit Dorn gekrönt,
Ach Jesu! wurdest du verhöhnt.

Ein scharfes Urteil sprachen sie,
Indem der ganze Haufen schrie:
»Nur weg, nur weg, nach Golgatha
Und schlagt ihn an das Kreuze da!«

Er trägt das Kreuz, er trägt die Welt,
Er ist dazu von Gott bestellt,
Er trägt es mit gelaßnem Mut,
Es strömet von ihm Schweiß und Blut.

Erschöpfet will er ruhen aus
Vor eines reichen Juden Haus;
Der Jude stieß ihn spottend weg,
Er blickt ihn an, geht seinen Weg.

Herr Jesus schwieg, doch Gott der bannt
Den Juden, daß er zieht durchs Land,
Und kann nicht sterben nimmermehr,
Und wandert immer hin und her.

Ans Kreuz sie hingen Jesum bald;
Maria ward das Herze kalt:
»O weh, o weh, mein liebstes Herz,
Ich sterb zugleich von gleichem Schmerz.«

Maria unterm Kreuze stund,
Sie war betrübt von Herzensgrund,
Von Herzen war sie sehr betrübt
Um Jesum, den sie herzlich liebt.

»Johannes, liebster Jünger mein,
Laß dir mein Mutter befohlen sein,
Nimm sie zur Hand, führ sie von dann,
Daß sie nicht schau mein Marter an.«

»Ja, Herr, das will ich gerne tun,
Ich will sie führen allzuschön,
Ich will sie trösten wohl und gut,
Wie ein Kind seiner Mutter tut.«

Da kam ein Jud und Höllenbrand,
Ein Speer führt er in seiner Hand,
Gab damit Jesu einen Stoß,
Daß Blut und Wasser daraus floß.

Nun bück dich, Baum, nun bück dich, Ast,
Jesus hat weder Ruh noch Rast;
Ach, traure Laub und grünes Gras,
Laßt euch zu Herzen gehen das!

Die hohen Berge neigten sich,
Die starken Felsen rissen sich,
Die Sonn verlor auch ihren Schein,
Die Vöglein ließen ihr Rufen und Schrein.

Die Wolken schrien Weh und Ach,
Die Felsen gaben einen Krach,
Den Toten öffnete sich die Tür,
Und gingen aus den Gräbern für.

DER SCHWEIZER

Zu Straßburg auf der Schanz,
Da ging mein Trauren an;

Das Alphorn hört ich drüben wohl anstimmen,
Ins Vaterland mußt ich hinüber schwimmen,
Das ging nicht an.

Ein Stunde in der Nacht,
Sie haben mich gebracht;
Sie führten mich gleich vor des Hauptmanns Haus,
Ach Gott, sie fischten mich im Strome auf,
Mit mir ist's aus.

Frühmorgens um zehn Uhr
Stellt man mich vor das Regiment;
Ich soll da bitten um Pardon,
Und ich bekomm doch meinen Lohn,
Das weiß ich schon.

Ihr Brüder allzumal,
Heut seht ihr mich zum letztenmal;
Der Hirtenbub ist doch nur schuld daran,
Das Alphorn hat mir solches angetan,
Das klag ich an.

Ihr Brüder alle drei,
Was ich euch bitt, erschießt mich gleich;
Verschont mein junges Leben nicht,
Schießt zu, daß das Blut rausspritzt,
Das bitt ich euch.

O Himmelskönig, Herr!
Nimm du meine arme Seele dahin,
Nimm sie zu dir in den Himmel ein,
Laß sie ewig bei dir sein,
Und vergiß nicht mein!

Sterben ist eine harte Buß,
Weiß wohl, daß ich sterben muß,
Und ein Röslein rosenrot
Pflanzt mein Schatz nach meinem Tod.

Wenn ich mal gestorben bin,
Wo begrabt man mich denn hin?
Schau nur in den Kirchhof nein,
Da wird noch ein Plätzlein sein!

Wachsen schöne Blümlein drauf,
Geben dir ein schönen Strauß,
Ach, was hilft ein Röslein rot,
Wenn es blüht nach Liebes Tod!

Dort hinein, und nicht hinaus,
Trägt man mich ins Grabeshaus,
Hab's gesehen in der Nacht,
Hat's ein Traum mir kund gemacht.

Auf den Kirchhof wollt ich gehn,
Tät das Grab schon offen stehn,
Ach, das Grab war schon gebaut,
Hab es traurig angeschaut.

War wohl sieben Klafter tief,
Drinnen lag ich schon und schlief;
Als die Glock hat ausgebraust,
Gingen unsre Freund nach Haus.

Sterben ist ein harte Pein,
Wenn's zwei Herzallerliebste sein,

Die des Todes Sichel scheid't,
Ach, das ist das größte Leid.

Denn was hilft ein Blümelein,
Wenn es heißt ins Grab hinein;
Ach, was hilft ein Röslein rot,
Wenn es blüht nach Liebes Tod.

DIE TRAURIG PRÄCHTIGE BRAUT

Komm heraus, komm heraus, du schöne schöne Braut,
Deine gute Tage sind alle alle aus.
O Weiele weh, o Weiele weh!
Was weinet die schöne Braut so sehr!
Mußt die Jungfern lassen stehn,
Zu den Weibern mußt du gehn.

Lege an, lege an, auf kurze kurze Zeit
Darfst du ja wohl tragen das schöne Hochzeitskleid.
O Weiele weh, o Weiele weh!
Ach, was weinet die schöne Braut so sehr!
Mußt dein Härlein schließen ein
In dem weißen Häubelein.

Lache nicht, lache nicht, deine rote rote Schuh
Werden dich wohl drücken, sind eng genug dazu.
O Weiele weh, o Weiele weh!
Ach, was weinet die schöne Braut so sehr!
Wenn die andern tanzen gehn,
Wirst du bei der Wiege stehn.

Winke nur, winke nicht, sind gar leichte leichte Wink,
Bis du an dem Finger einen goldnen Hochzeitring.
O Weiele weh, o Weiele weh!

Ach, was weinet die schöne Braut so sehr!
Goldne Ketten legst du an,
Mußt in ein Gefängnis gahn.

Springe heut, springe heut deinen letzten letzten Tanz,
Morgen kannst du weinen auf den schönen Hochzeitkranz.
O Weiele weh, o Weiele weh!
Ach, was weinet die schöne Braut so sehr!
Mußt die Blumen lassen stehn,
Auf den Acker mußt du gehn.

AUS DEM ODENWALD

Es steht ein Baum im Odenwald,
Der hat viel grüne Äst;
Da bin ich schon viel tausendmal
Bei meinem Schatz gewest.

Da sitzt ein schöner Vogel drauf,
Der pfeift gar wunderschön;
Ich und mein Schätzlein lauern auf,
Wenn wir mitnander gehn.

Der Vogel sitzt in seiner Ruh
Wohl auf dem höchsten Zweig,
Und schauen wir dem Vogel zu,
So pfeift er alsogleich.

Der Vogel sitzt in seinem Nest
Wohl auf dem grünen Baum;
Ach Schätzel, bin ich bei dir g'west,
Oder ist es nur ein Traum?

Und als ich wiedrum kam zu dir,
Gehauen war der Baum,
Ein andrer Liebster steht bei ihr,
O du verfluchter Traum.

Der Baum, der steht im Odenwald,
Und ich bin in der Schweiz,
Da liegt der Schnee, und ist so kalt,
Mein Herz es mir zerreißt.

DER GRUSS

Mir ist ein rot Goldringelein
Auf meinen Fuß gefallen;
So darf ich's doch nicht heben auf,
Die Leut, die sehen's alle.

Mit Lust tret ich an diesen Tanz,
Ich hoff, mir wird ein schöner Kranz
Von einem schön Jungfräulein,
Darum will ich ihr eigen sein.

So tret ich hin auf einen Stein,
Gott grüß dich, zart Jungfräuelein;
Und grüß euch Gott allsamt gleich,
Sie sein arm oder reich.

Gott grüß euch alle als gemein,
Die großen, dazu auch die klein,
So ich grüß die ein, die andre nicht,
So wär ich kein rechter Singer nicht.

WALDVÖGELEIN

Ich ging mit Lust durch einen grünen Wald,
Ich hört die Vöglein singen,
Sie sangen so jung, sie sangen so alt,
Die kleinen Waldvöglein in dem Wald,
Wie gern hört ich sie singen.

Nun sing, nun sing, Frau Nachtigall,
Sing du's bei meinem Feinsliebchen:
»Komm schier, komm schier, wenn's finster ist,
Wenn niemand auf der Gassen ist,
Herein will ich dich lassen.«

Der Tag verging, die Nacht brach an,
Er kam zu Feinslieb gegangen,
Er klopft so leis wohl an den Ring:
»Ei schläfst du, oder wachst du, Kind,
Ich hab so lang gestanden.«

»Daß du so lang gestanden hast,
Ich hab noch nicht geschlafen;
Ich dacht als frei in meinem Sinn,
Wo ist mein Herzallerliebster hin,
Wo mag er so lang bleiben?«

»Wo ich so lang geblieben bin,
Das darf ich dir wohl sagen:
Beim Bier und auch beim roten Wein,
Bei einem schwarzbraunen Mädelein,
Hätt deiner bald vergessen.«

»Nun schürz dich, Gretlein, schürz dich,
Wohl auf mit mir davon,
Das Korn ist abgeschnitten.
Der Wein ist eingetan.«

»Ach, Hänslein, liebes Hänslein,
So laß mich bei dir sein,
Die Wochen auf dem Felde,
Den Feiertag beim Wein.«

Da nahm er's bei den Händen,
Bei ihrer schneeweißen Hand,
Er führt sie an ein Ende,
Da er ein Wirtshaus fand.

»Nun Wirtin, liebe Wirtin,
Schaut um nach kühlem Wein,
Die Kleider dieses Gretlein
Müssen verschlemmet sein.«

Die Gret hub an zu weinen,
Ihr Unmut, der war groß,
Daß ihr die lichten Zähren
Über ihr Wänglein floß.

»Ach, Hänslein, liebes Hänslein,
Du redtest nicht also,
Als du mich heim ausführest
Aus meines Vaters Hof.«

Er nahm sie bei den Händen,
Bei ihrer schneeweißen Hand,

Er führt sie an ein Ende,
Da er ein Gärtlein fand.

»Ach, Gretlein, liebes Gretlein,
Warum weinst du so sehr,
Reuet dich dein freier Mut,
Oder reut dich dein Ehr?«

»Es reut mich nicht mein freier Mut,
Dazu auch nicht mein Ehr;
Es reuen mich mein Kleider,
Die werden mir nimmermehr.«

AUF DIESE GUNST MACHEN ALLE GEWERBE ANSPRUCH

Es war einmal ein Zimmergesell,
War gar ein jung frisch Blut,
Er baut dem jungen Markgrafen ein Haus,
Sechshundert Schauladen hinaus.

Und als das Haus gebauet war,
Legt er sich nieder und schlief,
Da kam des jungen Markgrafen sein Weib,
Zum zweiten und dritten Mal rief:

»Steh auf, steh auf, gut Zimmergesell,
Denn es ist an der Stund.
Hast du so wohl ja gebauet das Haus,
So küß mich an meinen Mund.«

»Ach nein, ach nein, Markgräfin fein,
Das wär uns beiden ein Schand,
Und wenn es der junge Markgrafe erführ,
Müßt ich wohl meiden das Land.«

Und da die beiden beisammen waren,
Sie meinen, sie wären allein,
Da schlich wohl das älteste Kammerweib her,
Zum Schlüsselloch schaut sie hinein.

»Ach, edler Herr, ach, edler Herr!
Groß Wunder, zu dieser Stund,
Da küsset der jung frische Zimmergesell
Die Frau Markgräfin an Mund.«

»Und hat er geküßt meine schöne Frau,
Des Todes muß er mir sein,
Ein Galgen soll er sich selber baun
Zu Schaffhausen drauß an dem Rhein.«

Und als der Galgen gebauet war,
Sechshundert Schauladen hinaus,
Von lauter Silber und Edelgestein,
Steckt er darauf ein Strauß.

Da sprach der Markgraf selber, wohl,
Wir wollen ihn leben lan,
Ist keiner doch unter uns allen hier,
Der dies nicht hätte getan.

Was zog er aus der Tasche heraus?
Wohl hundert Goldkronen so rot:
»Geh mir, geh mir aus dem Land hinaus,
Du findest wohl überall Brot.«

Und als er hinausgezogen war,
Da ging er über die Heid,
Da steht wohl des jungen Markgrafen sein Weib
In ihrem schneeweißen Kleid.

Was zog sie aus der Tasche gar schnell?
Viel hundert Dukaten von Gold:
»Nimm's hin, du schöner, du feiner Gesell,
Nimm's hin zu deinem Sold.

Und wenn dir Wein zu sauer ist,
So trinke du Malvasier,
Und wenn mein Mündlein dir süßer ist,
So komme nur wieder zu mir.«

WER'S LIEBEN ERDACHT

Zum Sterben bin ich
Verliebet in dich,
Deine schwarzbraune Äugelein
Verführen ja mich.

Bist hier oder bist dort,
Oder sonst an eim Ort,
Wollt wünsche, könnt rede
Mit dir ein paar Wort.

Wollt wünsche, es wär Nacht,
Mein Bettlein wär gemacht,
Ich wollt mich drein legen,
Feins Liebchen daneben,
Wollt's herzen, daß's lacht.

Mein Herz ist verwundt,
Komme Schätzl, mach's gesund,
Erlaub mir zu küssen
Dein'n purpurroten Mund.

Dein purpurroter Mund
Macht Herzen gesund,
Macht Jugend verständig,
Macht Tote lebendig,
Macht Kranke gesund.

»Meine Mutter hat nur
Eine schwarzbraune Kuh,
Wer wird sie denn melken,
Wenn ich heiraten tu?«

Der dies Liedchen gemacht,
Hat's Lieben erdacht,
Drum wünsch ich mein feins Liebchen
Viel tausend gute Nacht.

ERDTOFFELN MIT RIPPENSTÜCKCHEN

Einsmal ein Mägdlein frisch und jung,
Ging aufrecht wie ein Hirsch im Sprung;
Und von einem Jüngling, den sie kannt,
Ihre Äuglein klar durchaus nicht wandt.

Der Jüngling schalt und sprach zu ihr,
Wie ihr mitnichten dies gebühr,
Sondern sie sollt ganz züchtiglich
Die Äuglein schlagen unter sich.

Sie sprach gar bald: Mitnichten das,
Dies Anschaun ich nit unterlaß,
Zur Erd zu schauen dir gebührt,
Weil aus der Erd dein Ursprung rührt.

Des Mannes Ripp mein Ursprung ist,
Die such ich auch ohn Falsch und List,
Und daß solch Ripp in Zucht und Ehr
Mit mir vereint werd, ich begehr.

DAS MÄDCHEN UND DIE HASEL

Es wollt ein Mädchen Rosen brechen gehn
Wohl in die grüne Heide,
Was fand sie da am Wege stehn?
Eine Hasel, die war grüne.

»Guten Tag, guten Tag, liebe Hasel mein,
Warum bist du so grüne?«
»Hab Dank, hab Dank, wackres Mägdelein,
Warum bist du so schöne?«

»Warum daß ich so schöne bin,
Das will ich dir wohl sagen:
Ich eß weiß Brot, trink kühlen Wein,
Davon bin ich so schöne.«

»Ißt du weiß Brot, trinkst kühlen Wein,
Und bist davon so schöne,
So fällt alle Morgen kühler Tau auf mich,
Davon bin ich so grüne.«

»So fällt alle Morgen kühler Tau auf dich,
Und bist davon so grüne?
Wenn aber ein Mädchen ihren Kranz verliert,
Nimmer kriegt sie ihn wieder.«

»Wenn aber ein Mädchen ihren Kranz will behalten,
Zu Hause muß sie bleiben,

Darf nicht auf alle Narrentänz gehn,
Die Narrentänz muß sie meiden.«

»Hab Dank, hab Dank, liebe Hasel mein,
Daß du mir das gesaget,
Hätt mich sonst heut auf'n Narrentanz bereit,
Zu Hause will ich bleiben.«

AUCH EIN SCHICKSAL

Ich habe mein Feinsliebchen
So lange nicht gesehn,
Ich sah sie gestern abend
Wohl vor der Türe stehn.

Sie sagt, ich sollt sie küssen,
Als ich vorbei wollt gehn;
Die Mutter sollt's nicht wissen,
Die Mutter hat's gesehn.

Ach, Tochter, willst du freien,
Wie wird es dir ergehn;
Es wird dich bald gereuen,
Wenn du wirst andre sehn.

Wenn alle junge Mädchen
Wohlauf zum Tanzboden gehn,
Mit ihren grünen Kränzerchen
Im Reihentanze stehn,

Dann mußt du junges Weibchen
Wohl bei der Wiege stehn,
Mit deinem schneeweißen Leibchen,
Der Kopf tut dir so weh.

»Das Feuer kann man löschen,
Das Feuer brennt so sehr;
Die Liebe nicht vergessen
Je nun und nimmermehr.«

EHESTAND

Ich ging spazieren in ein Feld
Ohne Sünde,
Mich umzusehen in der Welt,
Wie es stünde.
Es war an einem Sonntag gut,
Nach dem Essen,
Mein Leid, das mich so quälen tut,
Zu vergessen.
Mit Gedanken tät ich zanken,
Tät ich zanken.

Sehr tief gedacht ich hin und her,
Wo ich auswollt,
Mir selbst wußt nicht zu raten mehr,
Was ich tun sollt.
Allein zu bleiben mich verdroß
Mit der Weile,
Zum Heiraten die Lust war groß
In der Eile.
Wollt schier wagen, ja zu sagen,
Ja zu sagen.

Und sieh, ein Jüngling trat herfür,
Wohlbekleidet,
Er grüßt mich freundlich in Gebühr,
Mich begleitet:
An Händen trug er güldne Ring,

Die ihn zierten,
Auch noch mehr andre köstlich Ding
Ihn berührten.
An dem allen hätt Gefallen,
Hätt Gefallen.

Beineben ward ich auch gewahr,
Daß der Jüngling
Ein schweres Joch trug immerdar,
Das ihm anhing.
An Füßen hätt er Ketten stark,
Stahl und Eisen;
Das schmerzt ihn bis auf Bein und Mark,
Konnt aufreißen.
Ottern, Schlangen auch dran hangen,
Auch dran hangen.

Da ich nun ward mit ihm bekannt,
Ich ihn fragte:
Jüngling, wer bist? Wie wirst genannt?
Er mir sagte:
Ich bin der Ehstand dieser Welt,
Also heiß ich,
So mancher tapfre, kühne Held
Um mich reißt sich.
Zum Heiraten tu ich laden.
Tu ich laden.

Dann ich ihn erst recht schaute an
Mit Verwundern,
Gedacht: Sollt denn ich freier Mann
Gleich jetzunder
Beladen mich mit solchem Joch

Und verbinden?
Ich will's wohl lassen bleiben noch,
Kann's nicht finden;
Will mich drinnen baß besinnen,
Baß besinnen.

EHESTAND DER FREUDE

Lasset uns scherzen,
Blühende Herzen,
Lasset uns lieben
Ohne Verschieben,
Lauten und Geigen
Sollen nicht schweigen,
Kommet zum Tanze,
Pflücket vom Kranze.

Drücket die Hände,
Legt euch zum Ende,
Gebet euch Küsse,
Tretet die Füße,
Machet euch fröhlich,
Machet euch ehlich,
Lasset die Narren
Einsam verharren.

Ehlich zu werden
Dienet der Erden,
Ledige Leute
Mangeln der Freude;
Jeder muß sterben,
Machet euch Erben,
Euerem Gute,
Namen und Blute.

Lasset der Grauen
Murren und Schauen
Raten und Wissen
Wenig ersprießen;
Eben sie selber
Waren auch Kälber,
Blühende Herzen,
Lasset uns scherzen.

DER VERSCHWUNDENE STERN

Es stand ein Sternlein am Himmel,
Ein Sternlein guter Art,
Das tät so lieblich scheinen,
So lieblich und so zart.

Ich wußte seine Stelle
Am Himmel, wo es stand,
Trat abends vor die Schwelle
Und suchte, bis ich's fand.

Und blieb dann lange stehen,
Hatt' große Freud in mir,
Das Sternlein anzusehen,
Und dankte Gott dafür.

Das Sternlein ist verschwunden,
Ich suche hin und her,
Wo ich es sonst gefunden,
Und find es nun nicht mehr.

Heute wollen wir Haber mähn,
Morgen wollen wir binden:
Wo ist denn die Liebste mein?
Wo soll ich sie finden?
Gestern abend sah ich sie
Unter einer Linden;
Ich gedacht in meinem Sinn,
Ich will sie schon finden.
Was führe ich dann an meiner Hand?
Das ganze Hausgesinde –
Und dies und das und das ist mein,
Das soll meine Liebste sein.

Ich weiß nicht, wo's Vöglein ist,
Ich weiß nicht, wo's pfeift,
Hinterm kleinen Lädelein,
Schätzlein, wo leist?

Es sitzt ja das Vögelein
Nicht alleweil im Nest,
Schwingt seine Flügelein,
Hüpft auf die Äst.

Wo ich gelegen bin,
Darf ich wohl sagen:
Hinterm grün Nägeleinstock
Zwischen zwei Knaben.

O du mein liebes Herrgottle,
Was han i der denn taun,

Daß du mir an mein lebelang
Net willst heuraten laun,
Jetzt will i nimmer betta,
Will net in Kirche gaun;
Geb acht, i kann de nöta,
Du wirst me heura laun.

Mein Schätzle ist Nunn,
Mach mich nit lachun;
Die Lieb ist brochun,
Kann's nimmer machun.

Schatzlein, freu dich, juchze,
Das Abscheiden tut weh;
Die Liebe tut wanken,
Wie ein Schiff auf der See.

Daß im Wald finster ist,
Das machen die Birken;
Daß mich mein Schatz nicht mag,
Das kann ich merken.

Daß im Wald finster ist,
Das machen die Äst;
Daß mich mein Schatz nit mag,
Das glaub ich fest.

Ich hab ein schöns Schätzlein,
Wenn's nur auch so bleibt;
Stell's naus in Krautgarten,
Daß es die Vögel vertreibt!

Mein Schätzle ist hübsch,
Aber reich ist es nit;
Was nützt mir der Reichtum,
Das Geld küß ich nit.

Schön bin ich nit, reich bin ich wohl,
Geld hab ich auch a ganz Beuterl voll;
Gehn mer noch drei Batze ab,
Daß ich grad zwölf Kreuzer hab.

Aufs Gässel bin ich gangen,
Aufs Gässel geh ich noch;
Der Scherg will mich fangen,
Ei, hätt er mich doch.
Wie soll er mich denn fangen,
Bei Tag geh ich nit;
Bei der Nacht is stockfinster,
Da sieht er mich nit.

So und so, so geht der Wind,
So und so pfeift er;
Und wenn ich mein Schätzle säh,
Wär mir's gleich viel leichter.

So lieb als mir mein Leben ist,
So lieb ist mir mein Schatz;
Und wenn er auch gestorben ist,
So lieb ich noch den Platz.

Das Liederl ist gesungen,
Der Kreuzer ist gewunnen;

Und wer mir ihn nicht geit,
Dem singe ich auf Beut.

BEI DER SCHUSTERRECHNUNG ZU SINGEN

Sechsmal hab ich sie angetroffen,
Siebenmal bin ich fehl geloffen,
Auf der Heide hin und her!
»Nein, mein Bue, es geschieht nicht mehr.«
Sechs Paar Schuh und sieben Paar Sohlen
Hab ich von wegen meiner Sennerin verloffen,
Auf der Heide hin und her!
»Nein, mein Bue, es geschieht nicht mehr!«

EINLADUNG ZUR MARTINSGANS

Wann der heilige Sankt Martin
Will der Bischofsehr entfliehn,
Sitzt er in dem Gänsestall,
Niemand find ihn überall,
Bis der Gänse groß Geschrei
Seine Sucher ruft herbei.

Nun dieweil das Gickgackslied
Diesen heilgen Mann verriet,
Dafür tut am Martinstag
Man den Gänsen diese Plag,
Daß ein strenges Todesrécht
Gehn muß über ihr Geschlecht.

Drum wir billig halten auch
Diesen alten Martinsbrauch,
Laden fein zu diesem Fest

Unsre allerliebste Gäst
Auf die Martinsgänslein ein,
Bei Musik und kühlem Wein.

EINE GUTE, AUSERWÄHLTE, HOCHGELOBTE
BUTTERMILCH

Eins Bauren Sohn hätt sich vermessen,
Er wollt ein gute Buttermilch essen,
Ein auserwählte Milch, ein hochgelobte Milch,
Ein abgefeimte Milch, des Milry Milch, ein gute Buttermilch.

Man trug ihm her ein saures Kraut,
Die Buttermilch traf ihn baß in die Haut,
Ein auserwählte Milch, ein hochgelobte Milch,
Ein abgefeimte Milch, des Milry Milch, ein gute Buttermilch.

Man trug ihm her ein Schweinebraten,
Die Buttermilch war ihm baß geraten,
Ein auserwählte Milch, ein hochgelobte Milch,
Ein abgefeimte Milch, des Milry Milch, ein gute Buttermilch.

Man trug ihm her gut Äpfel und Birn,
Die Buttermilch lag ihm stets im Hirn,
Ein auserwählte Milch, ein hochgelobte Milch,
Ein abgefeimte Milch, des Milry Milch, ein gute Buttermilch.

Man bracht ihm her gut Hering frisch,
Die Buttermilch war ihm ein besser Fisch,
Ein auserwählte Milch, ein hochgelobte Milch,
Ein abgefeimte Milch, des Milry Milch, ein gute Buttermilch.

Man trug ihm her die Waldvögelein,
Die Buttermilch deucht ihm besser zu sein,

Ein auserwählte Milch, ein hochgelobte Milch,
Ein abgefeimte Milch, des Milry Milch, ein gute Buttermilch.

KENNST DIE BEWEGLICHE DREI DU NOCH NICHT UND DER VIERE GEBILDE, WAHRLICH, SO WOLLT ES DER GOTT, FINDEST DU NIMMER DIE EINS

Die vier heilige drei König mit ihrem Steara,
Der Kasper, der Melchar, der Baltes, der Beara,
Sie seaga de nagelnuia Steara,
Potz Blitz! 's wird gwiß was Nuis draus weara.
Sie stiefla, sie waidle, sie fülla de Bauch,
Und springa, wie d' Schelma, zum Städtle hinaus.
Und do sie sain kuma fürs Herodes sei Tür.
Herodes der König trat selbsta herfür.
»Ei, wo kömmt ihr her in so schneller Uyl?
Sitzt any aufs Bänkli, und g'ruhet a Wuyl.«
»Mie könna nit gruahga, mie han nit de Wuyl.
Mie müasse hünt noch fünfhalba Müyl.«
»Ei woruma könnt ir nit gruahga, es tut jo nit Naut,
I will üch vor gea a Käs und a Brout.«
»Mer möaga kui Käs, mer mäaga kui Brout,
Mer müssa gau gea, 's tut werli gau Naut.«
»Ei möagat er kui Käs, so frässet e Dreck,
Un schärt i ins Teufels paar Daza a weg.«
Und do mer sin kömme übers Städtle hinaus,
Denka mer, blos' es der Herodes da Hobel fein aus.
Und do mer sin komma gen Betlahai,
So find a mir 's Kindli ä Mueters allai.
Und do mer im han brunge Butter, Nuß und a Milach,
Hat's Kindli klo bizli druf aini gschilacht.
Sankt Joseph nahm waidli die Wiegeschnuar,
Und macht go dem Kindli a Gugel fuar,

Do stundes en Engeln hinter der Tür,
Und bot es a Mümfeli Brout herfür. –
Jetz sin mer halt gestorben, und leabe nimmai,
Und liega zua Kölla am Bodasai.

HUSARENBRAUT

Wir preußisch Husaren, wann kriegen wir Geld?
Wir müssen marschieren ins weite Feld,
Wir müssen marschieren dem Feind entgegen,
Damit wir ihm heute den Paß noch verlegen.

Wir haben ein Glöcklein, das läutet so hell,
Das ist überzogen mit gelbem Fell,
Und wenn ich das Glöcklein nur läuten gehört,
So heißt es: Husaren, auf euere Pferd!

Wir haben ein Bräutlein uns auserwählt,
Das lebet und schwebet ins weite Feld,
Das Bräutlein, das wird die Standarte genannt,
Das ist uns Husaren sehr wohl bekannt.

Und als dann die Schlacht vorüber war,
Der eine den andern wohl sterben sah!
Schrie einer zum andern: Ach! Jammer, Angst und Not,
Mein lieber Kamerad ist geblieben tot!

Das Glöcklein klinget nicht eben so hell,
Denn ihm ist zerschossen sein gelbliches Fell,
Das silberne Bräutlein ist uns doch geblieben,
Es tuet uns winken, was hilft das Betrüben.

Wer sich in preußischen Dienst will begeben,
Der muß sich sein Lebtag kein Weibchen nicht nehmen,

Er muß sich nicht fürchten vor Hagel und Wind,
Beständig verbleiben und bleiben geschwind.

ZWEI RÖSELEIN

Geh ich zum Brünnelein,
Trink aber nicht,
Such ich mein Schätzelein,
Find's aber nicht.

Setz ich mich so allein
Aufs grüne Gras,

Fallen zwei Röselein
Mir in den Schoß.

Diese zwei Röselein
Gelten mir nicht;
Ist's nicht mein Schätzelein,
Die sie mir bricht.

Diese zwei Röselein
Sind rosenrot,
Lebt noch mein Schätzelein
Oder ist's tot?

Wend ich mein Äugelein
Rum und um her,
Seh ich mein Schätzelein
Beim andern stehn.

Wirft ihn mit Röselein,
Treffen mich tut;

Meint, sie wär ganz allein,
Das tut kein gut.

Wärst du mein Schätzelein,
Wärst du mir gut?
Steck die zwei Röselein
Mir auf den Hut.

Mädchen

Wirst doch nicht reisen fort,
Hast ja noch Zeit.

Knabe

Ja, ich will reisen fort,
Mein Weg ist weit.

Hin, wo ihr treue Lieb
Kein Mägdlein bricht.

Mädchen

Schatz, nimm zu Haus vorlieb,
Hin findst du nicht.

Röslein am Strauche blühn
Ewig doch nicht,
Lieb ist so lang nur grün,
Bis man sie bricht.

Nimm die zwei Röselein
Auf deinen Hut,
Ewig beinander sein
Tut auch kein gut.

Wenn die zwei Röselein
Nicht mehr sind rot,
Werf sie in Fluß hinein,
Denk, ich wär tot.

Knabe

Bist du tot allzumal,
Tut mir's nicht leid,
Untreu find überall,
Wen sie erfreut.

TRÜMMEKEN TANZ

Herr Hinrich und siene Bröder alle dree, voll Grone,★
Se buuden een Schepken tor See, um de adlige Rosenblome.
Do dat Schepken rede was, voll Grone,
Se setten sick darin, se föhrden alle daher, um de adlige
Rosenblome.
Do se westwerts averkemen, voll Grone,
Do stond dar een Goldschmits Söhne vor der Döhr, mit
der adligen Rosenblome:
»Weset nu willkommen, ji Herren alle dree gar hübsch
und schone!
Will ji nu Mede, efte★★ will ji nun Wien?« sprak de adlige
Rosenblome.
»Wy willen neen Mede, wy willen neen Wien, voll Grone,
Wy willen en Goldschmits Dochter han, de van adligen
Rosenblomen.«
»Des Goldschmits Dochter krieg ji nig, gar hübsch und
schone,
Se is Lütke Loiken al to gesegt, de adlige Rosenblome.«

★Grimm.
★★oder.

136

»Lütke Loike de krigt se nig, voll Grone,
Dar will wy dree unse Helse um wagen, um de adlige
Rosenblome.«
Lütke Loike tog ut sien blankes Schwerd, voll Grone,
He houde Herr Hinrich sien lütgen Finger af, um de adlige
Rosenblome.
Herr Hinrich tog ut sien blankes Schwerd, gar hübsch und
schone,
He houde Lütke Loike sien Hövede★ wedder af, um de
adlige Rosenblome.
»Ligge du aldar ein Krusekroll, voll Grone,
Myn Hert is hundert dusend Freuden voll, um de adlige
Rosenblome.«
Lütke Loike siene Kinder weenden all so sehr, voll Grone:
»Morgen schallen wy unsen Vader begraven, um de adlige
Rosenblome.«

SPRINGEL- ODER LANGETANZ

»Dat geit hir gegen den Sommer, gegen de leve Sommertid,
De Kinderken gahn spehlen an dem Dahl«, dat sprack en Wyf.
»Ach Mömeken, myn leve Moder, moste ick aldar tom
Avenddanze gahn,
Dar ick hör de Pipen gahn und de leven Trummel schlan!«
»Ach neen! myn Dochter, nichten dat, du schalt, du schalt
schlaapen gahn.«
»Ach Mömeken myn, dat deit my de Not, dat deit my de
Not.
Kame ick tom Avenddanze nich, so mot ick sterven dot.«
»Ach neen, du myn Dochter, alleen schalst du nich gahn,
So weck op dienen Broder und lat em mit dy gahn.«
»Myn Broder is junk, is man en Kind, ick weck em altes nicht,

---

★ Haupt.

137

Vel lever weck ick een andern Mann, den ick sprecken schall.«
»O Dochter myn, Gott geve dy grot Heil, Gott geve dy grot
                                                    Heil,
Nu ick dy nich stören kan, so gah du all dar hen.«
Do se tom Avenddanze kam, to dem Kinderspeele kam,
Se let er Ogen herummer gahn, ehr se den Rüter fand.
De Rüter de was got, he tog aff synen Hot,
He tog aff synen Hot, he küssede se vör den Mund,
An dem Danze, dar se stund.

GROSSE WÄSCHE

Der Mai will sich mit Gunsten,
Mit Gunsten beweisen,
Prüf ich an aller Vögelein Gesang;
Der Sommer kömmt, vor nicht gar lang
Hört ich Frau Nachtigall singen,
Sie sang recht wie ein Saitenspiel:
»Der Mai bald will
Den lichten Sommer bringen und zwingen
Die Jungfräulein zu Springen und Singen.

Jedoch so sind die Kleider
Mir leider zerrissen,
Ich schäme mich vor anderer Mägdlein Schar,
Mit meinen Schenklein geh ich bar,
Weil ich grad waschen wollte,
Der Reif und auch der kalte Schnee
Tat mir wohl weh,
Ich will als Waschgesellen bestellen
Die Jungfraun an den hellen Waldquellen.

Komm, komm, lieb, lieb Agnette,
Margreta, Sophia,

Elisabetha, Amaleia traut,
Sibilla, Lilla, Frau Gertraut,
Kommt bald, ihr Mägdlein schöne,
Kommt bald und wascht euch säuberlich
Und schmücket mich.«
Da kamen die Jungfrauen im Taue
Sich waschen und beschauen, ja schauen.

Ich dank Frau Nachtigallen
Vor allen mein Glücke,
Daß sie zum Waschen rief die holde Schar,
Mit ihren Schenklein gingen's bar,
Das Wasser ward nicht trübe,
Der Jugendglanz, der Maienschnee
Tat ihm nicht weh;
Doch mich wird's nicht mehr kühlen im Schwülen,
Im Sommer werd ich's fühlen, ja fühlen.

DER PALMBAUM

Annchen von Tharau ist, die mir gefällt,
Sie ist mein Leben, mein Gut und mein Geld.

Annchen von Tharau hat wieder ihr Herz
Auf mich gerichtet in Lieb und in Schmerz.

Annchen von Tharau, mein Reichtum, mein Gut,
Du meine Seele, mein Fleisch und mein Blut!

Käm alles Wetter gleich auf uns zu schlan,
Wir sind gesinnt, beieinander zu stahn.

Krankheit, Verfolgung, Betrübnis und Pein,
Soll unsrer Liebe Verknotigung sein.

Recht als ein Palmenbaum über sich steigt,
Je mehr ihn Hagel und Regen anficht,

So wird die Lieb in uns mächtig und groß,
Durch Kreuz, durch Leid, durch allerlei Not.

Wurdest du gleich einmal von mir getrennt,
Lebtest da, wo man die Sonne kaum kennt,

Ich will dir folgen durch Wälder, durch Meer,
Durch Eis, durch Eisen, durch feindliches Heer.

Annchen von Tharau, mein Licht, meine Sonn,
Mein Leben schließ ich um deines herum.

SCHNÜTZELPUTZ-HÄUSEL

So geht es in Schnützelputz Häusel,
Da singen und tanzen die Mäusel,
Und bellen die Schnecken im Häusel.
In Schnützelputz Häusel, da geht es sehr toll,
Da saufen sich Tisch und Bänke voll,
Pantoffeln unter dem Bette.

So geht es in Schnützelputz Häusel usw.
Es saßen zwei Ochsen im Storchennest,
Die hatten einander gar lieblich getröst,
Und wollten die Eier ausbrüten.

So geht es in Schnützelputz Häusel usw.
Es zogen zwei Störche wohl auf die Wacht,
Die hatten ihre Sache gar wohl bedacht,
Mit ihren großmächtigen Spießen.

So geht es in Schnützelputz Häusel usw.
Ich wüßte der Dinge noch mehr zu sagen,
Die sich in Schnützelputz Häusel zutragen,
Gar lächerlich über die Maßen.

DER SCHILDWACHE NACHTLIED

»Ich kann und mag nicht fröhlich sein,
Wenn alle Leute schlafen,
So muß ich wachen,
Muß traurig sein.«

»Ach Knabe, du sollst nicht traurig sein,
Will deiner warten,
Im Rosengarten,
Im grünen Klee.«

»Zum grünen Klee, da komm ich nicht,
Zum Waffengarten
Voll Hellebarden
Bin ich gestellt.«

»Stehst du im Feld, so helf dir Gott,
An Gottes Segen
Ist alles gelegen,
Wer's glauben tut.«

»Wer's glauben tut, ist weit davon,
Er ist ein König,
Er ist ein Kaiser,
Er führt den Krieg.«

Halt! Wer da? Rund! Wer sang zur Stund?
Verlorne Feldwacht

Sang es um Mitternacht:
Bleib mir vom Leib!

SCHWEIZERISCH

's isch no nit lang, daß gregnet hätt,
Die Läubli tröpfle no,
I hab e mol e Schatzli ghätt,
I wott, i hätt es no.

Jez isch er gange go wandere,
I wünsch em Löcher in d' Schuh,
Jetz hab i wieder en andere,
Gott gäb mer Glück dazu.

's isch no nit lang, daß er g'heirat hätt,
's isch gar e kurzi Zyt,
Si Röckli ist em loderich,
Si Strümpfli sin em z' wyt.

SCHREIBSTUNDE

Es bat ein Bauer ein Töchterlein,
Daß es doch täte den Willen sein,
Er bot ihr Silber und rotes Gold,
Daß sie ihn lieb hätt und heiraten sollt,
Gar öffentlich.

Als ein Studente das hat erhört,
Er seinem Haus den Rücken kehrt,
Kam vor der Jungfrauen ihre Tür,
Und klopft mit seinem Finger dafür,
Gar heimlich.

142

Die Jungfrau im Arm auf dem Bette lag
Und zum Studenten ganz leise sprach:
Ist jemand draußen, begehret mein,
Der zieh das Schnürlein und komm herein,
Gar heimlich.

Als das der Bauer doch hat gehört,
Dem Hause sein er den Rücken kehrt
Und kam vor der Jungfrauen Tür,
Er klopft mit seinem Stiefel dafür,
Gar öffentlich.

Die Jungfrau war in Freuden wach,
Und zu dem Bauern da lachend sprach:
Ist jemand da, der begehrt hinein,
Der such sich ein ander Jungfräulein,
Gar heimlich.

Wer ist's, der heut uns dies Liedlein sang?
Ein freier Studente ist er genannt;
Er lehrt der Jungfrau Lesen und Schreiben,
Braucht dazu weder Feder noch Kreiden,
Gar heimlich.

Und wenn das Mädchen erst schreiben kann,
Dann reist er wieder, wird Doktor dann,
Und sitzt bei Büchern und bei dem Wein,
Ihr Brieflein tröstet ihn doch allein,
Gar heimlich.

DER ABSCHIED IM KORBE

Wo gehst du hin, du Stolze,
Was hab ich dir getan,

Daß du vorbei tust gehen,
Und schaust mich gar nicht an.
Du schlägst die Äuglein nieder,
Und schaust nicht zu mir her,
Wie wenn ich deinesgleichen
Niemals gewesen wär.

»Der Abschied ist geschrieben,
Das Körblein ist gemacht;
Wärst du bei mir geblieben,
Hätt ich dich nicht veracht,
Nimm du das Körblein mit nach Haus,
Und leg den Abschied nein,
Hinführo aber lasse brav
Das falsche Lieben sein.«

EIN WARMES STÜBLEIN

Wann ich des Morgens früh aufstehe,
So ist mein Stüblein geheizet,
So kommt mein Lieb und beut mir einen guten Morgen.
Ein guter Morgen ist bald dahin,
Gott geb meiner Lieb ein steten Sinn,
Dazu ein fröhlich Gemüte.

DER TRAURIGE GARTEN

Ach Gott, wie weh tut Scheiden,
Hat mir mein Herz verwundt,
So trab ich über Heiden
Und traure zu aller Stund;
Der Stunden, der sind allsoviel,
Mein Herz trägt heimlich Leiden,
Wiewohl ich oft fröhlich bin.

Hätt mir ein Gärtlein bauet
Von Veil und grünem Klee,
Ist mir zu früh erfroren,
Tut meinem Herzen weh;
Ist mir erfrorn bei Sonnenschein
Ein Kraut Jelängerjelieber,
Ein Blümlein Vergißnichtmein.

Das Blümlein, das ich meine,
Das ist von edler Art,
Ist aller Tugend reine,
Ihr Mündlein, das ist zart,
Ihr Äuglein, die sind hübsch und fein,
Wenn ich an sie gedenke,
So wollt ich gern bei ihr sein.

Mich dünkt in all mein Sinnen,
Und wann ich bei ihr bin,
Sie sei ein Kaiserinne,
Kein lieber ich nimmer gewinn,
Hat mir mein junges Herz erfreut;
Wann ich an sie gedenke,
Verschwunden ist mir mein Leid.

HÜT DU DICH

Ich weiß mir'n Mädchen hübsch und fein,
Hüt du dich!
Es kann wohl falsch und freundlich sein.
Hüt du dich! Hüt du dich!
Vertrau ihr nicht, sie narret dich.

Sie hat zwei Äuglein, die sind braun,
Hüt du dich!

Sie werd'n dich überzwerch anschaun.
Hüt du dich! Hüt du dich!
Vertrau ihr nicht, sie narret dich.

Sie hat ein licht goldfarbnes Haar,
Hüt du dich!
Und was sie red't, das ist nicht wahr.
Hüt du dich! Hüt du dich!
Vertrau ihr nicht, sie narret dich.

Sie hat zwei Brüstlein, die sind weiß,
Hüt du dich!
Sie legt s' hervor nach ihrem Fleiß.
Hüt du dich! Hüt du dich!
Vertrau ihr nicht, sie narret dich.

Sie gibt dir'n Kränzlein fein gemacht,
Hüt du dich!
Für einen Narren wirst du geacht.
Hüt du dich! Hüt du dich!
Vertrau ihr nicht, sie narret dich.

ZWEIFEL AN MENSCHLICHER KLUGHEIT

Der Vater vom Himmelreich spricht:
Mensch, steh still und fürcht mich,
Gehst du für dich,
So tust du töricht,
Mein rechte Hand, die schlägt dich.

So spricht Gott der Sohn: Mensch,
Kehr dich um und merk mich,
Du gehst unweislich,
Ich warn dich.

So spricht Gott der heilge Geist: Mensch,
Laß deinen Willen fleischlich
In meinen Willen geistlich,
So tust du seliglich,
Das rat ich!
In Gottes Namen,
Amen.

AUGUSTINUS UND DER ENGEL

Mit der Muschel schöpft das Büblein
Aus dem Meer in ein Sandgrüblein;
Augustinus stille stand,
Und das Kind zu ihm begann.

Engel

Augustinus, Licht des Glaubens,
Fromm und rein gleich wie die Tauben;
Sag mir an, wo gehst du hin?
Du hast Neues wohl im Sinn.
Tust vielleicht was Neu's studieren,
Oder gehst du nur spazieren;
Augustinus, sag es gleich,
Sonst ich nicht von dir abweich.

Augustinus

Liebes Kind, ich tu betrachten,
Ach und kann doch nimmer fassen
Die allerheiligste Dreifaltigkeit
Als eine wahre Ewigkeit.

Engel

Eh will ich das groß Weltwasser
In dies klein Sandgrüblein fassen;

Eh du dir wirst bilden ein,
Wie die Sach kann möglich sein.

Augustinus

O wie hoch bin ich geflogen,
Wie hat mich das Gemüt betrogen,
Als ich nach dem Kindlein sah,
War es fort, war nicht mehr da.

Nimmer werd ich so hoch fliegen,
Nimmer mich's Gemüt betrügen,
Bis zergehen wird die Erd
Und ich nicht mehr denken werd.

URLICHT

O Röschen rot
Der Mensch liegt in größter Not,
Der Mensch liegt in größter Pein,
Je lieber möcht ich im Himmel sein.
Da kam ich auf einen breiten Weg,
Da kam ein Englein und wollt mich abweisen,
Ach nein, ich ließ mich nicht abweisen,
Ich bin von Gott, ich will wieder zu Gott,
Der liebe Gott wird mir ein Lichtchen geben,
Wird leuchten mir bis in das ewig selig Leben.

WIE KOMMT ES, DASS DU TRAURIG BIST?

I

Wie kommt's, daß du so traurig bist,
Und gar nicht einmal lachst? :|:

Ich seh dir's an den Augen an,
Daß du geweinet hast.

»Und wenn ich auch geweinet hab,
Was geht es dich denn an? :|:
Ich wein, daß du es weißt, um Freud,
Die mir nicht werden kann.«

Wenn ich in Freuden leben will,
Geh ich in grünen Wald, :|:
Vergeht mir all mein Traurigkeit,
Und leb, wie's mir gefällt.

»Mein Schatz ein wackrer Jäger ist,
Er trägt ein grünes Kleid, :|:
Er hat ein zart rot Mündelein,
Das mir mein Herz erfreut.«

Mein Schatz ein holde Schäfrin ist,
Sie trägt ein weißes Kleid, :|:
Sie hat zwei zarte Brüstelein,
Die mir mein Herz erfreun.

»So bin ich's wohl, so bist du's wohl,
Feins Lieb, schöns Engelskind,
So ist uns allen beiden wohl,
Daß wir beisammen sind.«

II

Wie kommt's, daß du so traurig bist,
Und gar nicht einmal lachst?
Ich seh dirs an den Augen an,
Daß du geweinet hast.

»Und wer ein'n steingen Acker hat,
Dazu 'nen stumpfen Pflug,
Und dessen Schatz zum Schelmen wird,
Hat der nicht Kreuz genug?«

Doch wer mit Katzen ackern will,
Der spann die Mäus voraus,
So geht es alles wie ein Wind,
So fängt die Katz die Maus.

Hab all mein Tag kein gut getan,
Hab's auch noch nicht im Sinn;
Die ganze Freundschaft weiß es ja,
Daß ich ein Unkraut bin.

DER WIRTIN TÖCHTERLEIN

Bei meines Buhlen Kopfen
Da steht ein güldner Schrein,
Darin da liegt verschlossen
Das junge Herze mein;
Wollt Gott, ich hätt den Schlüssel,
Ich würf ihn in den Rhein.
Wär ich bei meinem Buhlen,
Wie möcht mir baß gesein.

Bei meines Buhlen Füßen
Da fleußt ein Brünnlein kalt,
Wer des Brünnlein tut trinken,
Der jüngt und wird nicht alt;
Ich hab des Brünnleins trunken
Viel manchen stolzen Trunk,
Nicht lieber wollt ich wünschen
Meines Buhlen roten Mund.

In meines Buhlen Garten
Da steht viel edle Blüt,
Wollt Gott, sollt ich ihr warten,
Das wär meins Herzens Freud
Die edlen Röslein brechen,
Denn es ist an der Zeit.
Ich trau sie wohl zu erwerben,
Die mir am Herzen leit.

In meines Buhlen Garten
Da stehn zwei Bäumelein,
Das ein, das trägt Muskaten,
Das andre Nägelein;
Muskaten, die sind süße,
Die Näglein riechen wohl,
Die geb ich meinem Buhlen,
Daß er mein nicht vergeß.

Und der uns diesen Reihen sang,
So wohl gesungen hat,
Das haben getan zween Hauer,
Zu Freiberg in der Stadt;
Sie haben so wohl gesungen
Bei Met und kühlem Wein,
Dabei da ist gesessen
Der Wirtin Töchterlein.

WER HAT DIES LIEDLEIN ERDACHT?

Dort oben in dem hohen Haus,
Da guckt ein wacker Mädel raus,
Es ist nicht dort daheime,
Es ist des Wirts sein Töchterlein,
Es wohnt auf grüner Heide.

Und wer das Mädel haben will,
Muß tausend Taler finden,
Und muß sich auch verschwören,
Nie mehr zu Wein zu gehn,
Des Vaters Gut verzehren.

Wer hat denn das schöne Liedel erdacht?
Es haben's drei Gäns übers Wasser gebracht,
Zwei graue und eine weiße;
Und wer das Liedlein nicht singen kann,
Dem wollen sie es pfeifen.

DER UNSCHULDIGE TOD DES JUNGEN KNABEN

Es liegt ein Schloß in Österreich,
Das ist ganz wohl gebauet,
Von Silber und von rotem Gold,
Mit Marmorstein gemauert.

Darinnen liegt ein junger Knab,
Auf seinen Hals gefangen,
Wohl vierzig Klafter unter der Erd
Bei Ottern und bei Schlangen.

Sein Vater kam von Rosenberg
Wohl vor den Turm gegangen:
»Ach Sohne, liebster Sohne mein,
Wie hart liegst du gefangen!«

»Ach Vater, liebster Vater mein,
So hart lieg ich gefangen,
Wohl vierzig Klafter unter der Erd,
Bei Ottern und bei Schlangen.«

Sein Vater zu dem Herrn hinging:
»Gebt mir los den Gefangnen,
Dreihundert Gulden geben wir
Wohl für des Knaben Leben.«

»Dreihundert Gulden, die helfen euch nicht,
Der Knabe, der muß sterben,
Er trägt von Gold eine Kett am Hals,
Die bringt ihn um sein Leben.«

»Trägt er von Gold eine Kett am Hals,
Die hat er nicht gestohlen;
Hat ihm ein zart Jungfrau verehrt,
Dabei sie ihn erzogen.«

Man bracht den Knaben aus dem Turm,
Gab ihm die Sakramente:
»Hilf, reicher Christ vom Himmel hoch,
Es geht mit mir am Ende.«

Man bracht ihn zum Gericht hinaus,
Die Leiter muß er steigen:
»Ach Meister, liebster Meister mein,
Laß mir eine kleine Weile!«

»Eine kleine Weile laß ich dir nicht,
Du möchtest mir entrinnen,
Langt mir ein seiden Tüchlein her,
Daß ich seine Augen verbinde.«

»Ach, meine Augen verbinde mir nicht,
Ich muß die Welt anschauen,
Ich seh sie heut und nimmermehr
Mit meinen schwarzbraunen Augen.«

Sein Vater beim Gerichte stand,
Sein Herz wollt ihm zerbrechen;
»Ach Sohne, liebster Sohne mein,
Dein'n Tod will ich schon rächen.«

»Ach Vater, liebster Vater mein,
Meinen Tod sollt Ihr nicht rächen,
Brächt meiner Seele schwere Pein,
Um Unschuld will ich sterben.

Es ist nicht um das Leben mein,
Noch um meinen stolzen Leibe,
Es ist um meine Frau Mutter daheim,
Die weinet also sehre.«

Es stund kaum an den dritten Tag,
Ein Engel kam vom Himmel,
Sprach: »Nehmt ihn vom Gerichte ab,
Sonst wird die Stadt versinken.«

Es währet kaum ein halbes Jahr,
Der Tod, der ward gerochen,
Es wurden auf dreihundert Mann
Des Knaben wegen erstochen.

Wer ist's, der uns das Liedlein sang?
So frei ist es gesungen:
Das haben getan drei Jungfräulein
Zu Wien im Österreiche.

RINGLEIN UND FÄHNLEIN

Vor Tags ich hört in Liebes Port wohl diese Wort
Von Wächters Mund erklingen:

»Ist jemand je verborgen hie, der achte wie
Er mög hindannen sprengen,
Der Tag gar hell will kommen schnell,
Wer liebend ruht in Frauen Hut,
Laß bald das Bett erkalten.

Das Firmament, schnell und behend, vom Orient
Im weißen Schein herpranget,
Fürwahr ich sag, aus grünem Hag der Lerchen Schlag
Den jungen Tag empfanget.
Drum eil vom Ort, wer noch im Hort
Der Liebe sei, eh Jammersschrei
Den Mut ihm mög zerspalten.«

Des Wächters Kund in Herzensgrund mich tief verwundt
Und all mein Freud zerstöret,
Des Lichtes Neid will, daß ich scheid, hör, süße Maid;
Sie will vor Leid nicht hören!
Sich zu mir schmückt, gar schämlich blickt,
Und nicht mehr schlief, gar schnell ich rief:
»Ach Gott, wir han verschlafen!«

Zur Hand sich ragt die werte Magd, hierauf sie sagt:
»Gut Wächter, laß dein Schimpfen!
Um alle Welt den Tag nicht meld, eh daß das Feld
In kühlem Tau tut glimmen.
Die Zeit ist klein, daß ich und mein
Geselle gut hie han geruht
In ehrenreicher Wonne.«

Der Wächter sprach: »Frau, tu zur Sach, denn Feld und Dach
Hat kühler Tau umgeben,
Seit du nun hast ein fremden Gast, so hab nicht Rast,
Heiß ihn von dannen streben.

Ich seh manch Tier in dem Revier
Von Hohl zu Hohl ja schlüpfen wohl,
Das zeiget mir die Sonne.«

Erst ward zur Stund uns Jammer kund im Freudenbund,
Da wir den Tag ansahen,
Wohl Mund an Mund, gar süß verwundt im Kuß gesund,
Und liebliches Umfahen,
Ward Liebesscherz in Scheidensschmerz
Gar treu geteilt und schnell ereilt.

»Ach edle Frucht, du weiblich Zucht, hin auf die Flucht
Muß ich mich leider kehren,
Gott durch sein Güt dir wohl behüt dein rein Gemüt,
Dein Heil mög er dir mehren,
Fürwahr, ich will bis an mein Ziel
Dein Diener sein, Gnad! Fraue mein,
Mit Wissen will ich scheiden.«

Allda zur Hand ihr Händ sie wand, mehr Leids ich fand,
Ihr Äuglein wurden fließen:
»Traut Buhle hör, was ich begehr, bald wiederkehr,
Der Treu laß mich genießen.«
Das gelobt ich ihr, sie sprach zu mir:
»Ich hab dich hold, vor allem Gold,
Mir kann dich niemand leiden.« (d. h. verleiden.)

Ein Fingerlein von Edelstein aus ihrem Schrein
Gab mir die süße Fraue,
Des Schloß ein End sie mit mir rennt, bis ich mich trennt
An einer grünen Aue,
Sie ließ wohl hoch, so lang sie noch
Mich konnt ersehn, ihr Tüchlein wehn,
Dann schrie sie laut: »O Waffen!«

Seit macht mit Fleiß jed Fähnlein weiß im Kampfe heiß
Mich ihrer Lieb gedenken.
Auf Todesau, in rotem Tau, seh ich mein Frau
Ihr Tüchlein traurig schwenken;
Den Ring ich schau, ich stech und hau,
Hindurch ich dring und zu ihr sing:
»Mein Leib ist dir behalten.«

MARTINSGANS

Nach Gras wir wollen gehn,
Die Vögel singen schön,
Der Gutzgauch frei.
Sein Melodei
Hallt über Berg und Tal,
Die Mühle klappt zumal;
Der Müller auf der Obermühl,
Der hatt der fetten Gänse viel,
Die Gans hat einen Kragen,
Die wollen wir mit uns tragen.

Der beste Vogel, den ich weiß,
Das ist die fette Gans,
Sie hat zwei breite Füße,
Dazu den langen Hals,
Und noch ihr Stimmlein süße,
Ihr Füß sein gel,
Ihr Stimm ist hell,
Der Hals ist lang,
Wie ihr Gesang:
Gickgack, Gickgack, Gickgack, Gickgack,
Wir singen am Sankt Martins-Tag.

TRAURE NICHT, TRAURE NICHT
UM DEIN JUNGES LEBEN,
WENN SICH DIESER NIEDERLEGT,
WIRD SICH JENER HEBEN

Es ritt ein Herr und auch sein Knecht,
Sie ritten miteinander einen winterweiten Weg.

Sie kamen an einen Feigenbaum:
»Lieb Knecht, steig, schau dich ume auf dem dürren
                                    Feigenbaum.«

»Es ist, lieb Herr, es ist zu viel,
Mein Kraft ist mir entschwunden, die Ästlein sind auch dürr.«

»Lieb Knecht, so halt mein Roß am Zaum,
Ich will wohl selber steigen auf den dürren Feigenbaum.«

Und da er auf den Baum nauf trat,
Die Ästlein waren dürre, er fiel ins grüne Gras.

»Lieb Herr, nun liegst du halber tot,
Wo soll ich mir nun ausnehmen mein schwer verdienten
                                    Lohn?«

»Lieb Knecht, für deinen Lohn und Wert,
Dafür sollst du wohl nehmen mein rappelbraunes Pferd.«

»Dein rappelbraun Pferd, das mag ich nit,
Ich weiß mir noch was anders, das mir lieber, lieber ist.«

»Lieb Knecht, für deinen Lohn und Wert,
Dafür sollst du wohl nehmen mein silberreiches Schwert.«

»Dein silberreiches Schwert, das mag ich nit,
Ich weiß mir noch was anders, das mir lieber, lieber ist.«

»Lieb Knecht, so nimm mein wunderschönes Weib,
Dazu den jungen Markgraf, der in der Wickelwiege leit.«

»Lieb Herr, jetzt reit ich, schau um ein Grab,
Daß man Euch mit den Schülern zur Kirche eintrag.«

Und da sie an die Kirche kamen,
Da fingen alle Glöckelein zu läuten, läuten an.

Sie läuten so hübsch, sie läuten so fein,
Sie läuten dem Markgrafen ins Himmels Reich hinein.

Ins Paradeis, ins Himmelreich,
Da sitzen die Markgrafen den Engelein zugleich.

DER GROBE BRUDER

Kuchlebu, Schifflebu fahren wohl über den Rhein,
Bei einem Markgrafen, da kehren sie ein.

»Guten Morgen, junger Markgraf, guten Morgen,
Wo hast du dein adelig Schwesterlein verborgen?«

»Was fragst du nach meinem adeligen Schwesterlein klein,
Es möchte dir viel zu hübsch und zu adelig sein.«

»Warum möcht es mir viel zu hübsch und zu adelig sein,
Es geht mit einem Kindelein klein.«

»Geht es mit einem Kindelein klein,
So soll es auch nicht mehr mein Schwesterlein sein.«

Er schickte sogleich Roß und Wagen,
Und ließ sein adeligs Schwesterlein hertragen.

Sie versprach der Kindsmagd ein Paar neue Schuh,
Soll ihrem Kindlein die Sach recht tun.

Versprach dem Kutscher ein Paar silberne Sporen,
Er soll auch tapfer in Hof nein fahren.

Und da sie in den Hof nein kamen,
Da sagt der Bruder ihr gleich willkommen:

»Liebes adeliges Schwesterlein mein,
Wo hast du dein Kindelein klein?«

»Ich hab fürwahr kein Kindelein klein,
Die Leute gehn mit Lügen auf mich ein.«

Er nahm sie bei ihrer schneeweißen Hand,
Und führt sie auf Ulm zu dem Tanz.

»Ihr Musikanten, macht mir auf einen langen Tanz,
Mein Schwester ist hier im Nägelkranz.,«

Der Tanz, der währte dritthalbe Stund,
Bis ihr die Milch aus den Brüsten rausssprung.

Der Bruder nahm sie bei der schneeweißesten Hand
Und führt sie in sein Schlafzimmer alsbald.

Und sprang mit Stiefel und Sporen auf sie,
Daß sie vor großem Schmerze laut schrie.

»Hör auf, hör auf, grober Bruder mein,
Es ist ja genug, das Kind ist nicht dein.

Es gehört ja dem König in Engelland zu!«
»Ach hättst du es bälder gesaget nur!

Hätt ich fürwahr einen Schwager gehabt;
Ist dir noch zu helfen, mein Schwesterlein, sag's?«

»Warum wird es mir zu helfen sein,
Man sieht auf Lung und Leber hinein!«

Es stand nicht länger an als dritthalbe Tag,
Da war der König von England selber da.

»Willkommen, willkommen, junger Markgraf mein,
Wo hast du dein adlig Schwesterlein klein?«

»Es liegt im kühlen Grab und da liegt's,
Daß du es nimmermehr hier wiedersiehst.«

Was zog der König? Sein glitzeriges Schwert,
Und stach es dem jungen Markgrafen durchs Herz.

Er stach es ins Herz, so tief als er kann:
»Sieh an, das hast du deiner Schwester getan.«

Er nahm sein Kind froh in den Arm:
»Jetzt hast keine Mutter mehr, daß Gott erbarm!«

LEBEWOHL

Morgen muß ich weg von hier
Und muß Abschied nehmen;
O du allerhöchste Zier,
Scheiden das bringt Grämen.
Da ich dich so treu geliebt,
Über alle Maßen,
Soll ich dich verlassen.

Wenn zwei gute Freunde sind,
Die einander kennen,
Sonn und Mond bewegen sich,
Ehe sie sich trennen.
Noch viel größer ist der Schmerz,
Wenn ein treu verliebtes Herz
In die Fremde ziehet.

Dort auf jener grünen Au
Steht mein jung frisch Leben,
Soll ich dann mein lebelang
In der Fremde schweben?
Hab ich dir was Leids getan,
Bitt dich, woll's vergessen,
Denn es geht zu Ende.

Küsset dir ein Lüftelein
Wangen oder Hände,
Denke, daß es Seufzer sein,
Die ich zur dir sende;
Tausend schick ich täglich aus,
Die da wehen um dein Haus,
Weil ich dein gedenke.

WENN ICH EIN VÖGLEIN WÄR

Wenn ich ein Vöglein wär,
Und auch zwei Flüglein hätt,
Flög ich zu dir;
Weil's aber nicht kann sein,
Bleib ich allhier.

Bin ich gleich weit von dir,
Bin ich doch im Schlaf bei dir
Und red mit dir;
Wenn ich erwachen tu,
Bin ich allein.

Es vergeht keine Stund in der Nacht,
Da mein Herze nicht erwacht,
Und an dich gedenkt,
Daß du mir viel tausendmal
Dein Herze geschenkt.

AN EINEN BOTEN

Wenn du zu meim Schätzel kommst,
Sag: Ich ließ sie grüßen;
Wenn sie fraget, wie mir's geht?
Sag: auf beiden Füßen.
Wenn sie fraget: ob ich krank?
Sag: ich sei gestorben;
Wenn sie an zu weinen fangt,
Sag: ich käme morgen.

WEINE NUR NICHT

Weine, weine, weine nur nicht,
Ich will dich lieben, doch heute nicht,
Ich will dich ehren, so viel ich kann,
Aber 's Nehmen, 's Nehmen,
Aber 's Nehmen steht mir nicht an.

Glaube, glaube, glaube nur fest,
Daß dich mein Treu niemals verläßt,
Allzeit beständig, niemals abwendig
Will ich treu sein,
Aber gebunden, das geh ich nicht ein.

Hoffe, hoffe, hoffe, mein Kind,
Daß meine Worte aufrichtig sind,
Ich tu dir schwören
Bei meiner Ehren,
Daß ich treu bin:
Aber 's Heiraten, 's Heiraten,
Aber 's Heiraten ist nie mein Sinn.

KÄUZLEIN

Ich armes Käuzlein kleine,
Wo soll ich fliegen aus,
Bei Nacht so gar alleine,
Bringt mir so manchen Graus;
Das macht der Eulen Ungestalt,
Ihr Trauern mannigfalt.

Ich will's Gefieder schwingen
Gen Holz in grünen Wald,
Die Vöglein hören singen

164

In mancherlei Gestalt.
Vor allen lieb ich Nachtigall,
Vor allen liebt mich Nachtigall.

Die Kinder unten glauben,
Ich deute Böses an,
Sie wollen mich vertreiben,
Daß ich nicht schreien kann:
Wenn ich was deute, tut mir's leid,
Und was ich schrei, ist keine Freud.

Mein Ast ist mir entwichen,
Darauf ich ruhen sollt,
Sein Blättlein all verblichen,
Frau Nachtigall geholt:
Das schafft der Eulen falsche Tück,
Die störet all mein Glück.

STÄNDCHEN

Liegst du schon in sanfter Ruh
Und tust dein schwarzbraun Äuglein zu,
Und die zarte Gliederlein,
Wohl in ein Federbett gewickelt ein.

Wälder, Felder schweigen still,
Und niemand ist, der mit mir sprechen will,
Alle Flüß haben ihren Lauf,
Und niemand ist, der mit mir bleibet auf.

Heut hab ich die Wach allhier,
Schönste, vor deiner verschloßnen Tür,

Sonn und Mond, dazu das Firmament
Schaun, wie mein junges Herz vor Liebe brennt.

Hörst du nicht die Seufzer schallen,
Schönste, vor deinem Schlafkämmerlein fallen,
Stehest du nicht auf und lässest mich nicht ein,
Wie könntest du so unbarmherzig sein.

Harfenklang und Saitenspiel,
Hab ich lassen spielen so oft und viel,
Ich hab es lassen spielen so oft und viel,
So daß mir keine Saite mehr klingen will.

Berg und Hügel, auch dieses Tal
Schreien über mich auch hunderttausendmal,
Froh wollt ich sein, wenn's dir und mir wohlgeht,
Obschon mein treues Herz in Trauren steht.

Gute Nacht, gute Nacht, Frau Nachtigall!
In dem Tal, tausendmal, überall,
Grüße sie aus meinem Herzensgrund,
Aus meinem Herzen, mit deinem Mund.

Hörst du wohl den Schuß hier fallen,
Schönste vor dem Schlafkämmerlein schallen,
Ach, warum ließest du mich nicht herein,
Konntest, ach, so unbarmherzig sein.

Geht es dir wohl, so denke an mich,
Geht es dir übel, so kränket es mich,
Froh wollt ich sein, wenn's dir und mir wohlgeht,
Obgleich mein treues Herz in Blute steht.

ROSENKRANZ,
TRITT AN DEN TANZ

Es starben zwei Schwestern an einem Tag,
Sie wurden an einem Tag begraben.

Und als sie kamen vors himmlische Tor,
Sankt Petrus sprach: »Wer ist davor?«

»Es sind davor zwei arme Seelen,
Sie möchten gern bei Gott einkehren.«

»Die erste, die soll zu ihm gehn,
Die zweite soll den breiten Weg gehn.«

Der breite Weg gar böse steht,
Der zu der leidigen Höll eingeht.

Und da sie den breiten Weg auße kam,
Begegnet ihr die heilige Frau.

»Wo 'naus, wohin, du arme Seele,
Wir wollen jetzt bei Gott einkehren?«

»Ich hab ja schon bei Gott eingekehrt,
Er hat mir hinausgewehrt.«

»Was hast du dann für Sünd getan,
Daß du nicht darfst in Himmel gahn?«

»Ich hab ja alle Samstag Nacht,
Ein Rosenkränzlein 'naus gemacht*.«

---

*Bin im Reigentanz gesprungen.

»Hast du sonst keine Sünd getan,
Darfst du mit mir in Himmel gahn.«

Und als sie kamen vors himmlische Tor,
Sankt Petrus sprach: »Wer ist davor?«

»Es ist davor eine arme Seele,
Sie möchte gern bei Gott einkehren.«

Maria nahm sie bei der Hand,
Und führt sie ins gelobte Land.

Da ward ihr gleich ein Stuhl bereit't,
Von nun an bis in Ewigkeit.

WO'S SCHNEIET ROTE ROSEN, DA REGNET'S TRÄNEN DREIN

Wohl heute noch und morgen,
Da bleibe ich bei dir;
Wenn aber kömmt der dritte Tag,
So muß ich fort von hier.

Wann kömmst du aber wieder,
Herzallerliebster mein;
Und brichst die roten Rosen
Und trinkst den kühlen Wein?

Wenn's schneiet rote Rosen,
Wenn's regnet kühlen Wein;
So lang sollst du noch harren,
Herzallerliebste mein.

Ging sie ins Vaters Gärtelein,
Legt nieder sich, schlief ein;
Da träumet ihr ein Träumelein,
Wie's regnet kühlen Wein.

Und als sie da erwachte,
Da war es lauter Nichts;
Da blühten wohl die Rosen
Und blühten über sie.

Ein Haus tät sie sich bauen
Von lauter grünem Klee;
Tät aus zum Himmel schauen,
Wohl nach dem Rosenschnee.

Mit gelb Wachs tät sie's decken,
Mit gelber Lilie rein,
Daß sie sich könnt verstecken,
Wenn's regnet kühlen Wein.

Und als das Haus gebauet war,
Trank sie den Herrgottswein,
Ein Rosenkränzlein in der Hand
Schlief sie darinnen ein.

Der Knabe kehr zurücke,
Geht zu dem Garten ein,
Trägt einen Kranz von Rosen
Und einen Becher Wein.

Hat mit dem Fuß gestoßen
Wohl an das Hügelein,
Er fiel, da schneit es Rosen,
Da regnet's kühlen Wein.

Es war einmal ein junger Knab,
Der liebt sein Schätzlein sieben Jahr,
Wohl sieben Jahr und noch viel mehr,
Die Lieb, die nahm kein Ende mehr,

Er liebte des Bauers Töchterlein,
Auf Erden konnte nichts Schönres sein;
Die Knaben gingen ihm um sein Haus:
»Ach Bauer, geb uns dein Tochter heraus.«

»Ich geb die Tochter nicht heraus,
Ich geb ihr kein Geld, ich geb ihr kein Haus;
Ich kaufe ihr ein schwarzes Kleid,
Das soll sie tragen zur Kirch und zum Leid.«

Da reist der Knabe ins Niederland,
Da ward ihm sein Herzallerliebste krank;
Die Botschaft ihm kam krank auf den Tod,
Drei Tag und drei Nacht redt sie kein Wort.

Und als der Knab die Botschaft hört,
Daß sein Herzallerliebste so krank da wär,
Da ließ er gleich sein Hab und Gut,
Und schaut, was sein Herzallerliebste tut.

Und als er in die Stub hinein kam,
Sein Herzallerliebste auf den Tod war krank:
»Seist du mir willkommen, getreuer Schatz,
Der Tod will jetzt wohnen an deinem Platz.«

»Grüß Gott, grüß Gott, liebs Schätzelein,
Was machst du hier im Bettelein?«

»Dank Gott, dank Gott, mein lieber Knab,
Mit mir wird's heißen fort ins Grab.«

»Nicht so, nicht so, mein Schätzelein,
Die Lieb und Treu muß länger sein;
Geht g'schwind, geht g'schwind und holt ein Licht,
Mein Schatz, der stirbt, daß niemand sieht.«

Was zog er aus seiner Tasche mit Fleiß?
Ein Äpfelein, das war rot und weiß,
Er legt's auf ihren weißroten Mund:
Schön Schätzl, bist krank, werd wieder gesund.

Er wollt sie legen in seinen Arm,
Sie war nicht kalt, sie war nicht warm;
Sie tut ihm in seinem Arm verscheiden,
Sie tut eine reine Jungfrau bleiben.

Was zog er aus der Tasche sein?
Von Seide war es ein Tüchlein fein;
Er trocknet damit sein Aug und Händ;
Ach Gott, wann nimmt mein Trauern ein End.

Er ließ sich machen ein schwarzes Kleid,
Er trugs wegen seiner Traurigkeit,
Wohl sieben Jahr und noch viel mehr,
Sein Trauren, das nahm kein Ende mehr.

GRUSS

So viel Stern am Himmel stehen,
So viel Schäflein als da gehen
In dem grünen Feld,

So viel Vögel als da fliegen,
Als da hin und wieder fliegen,
So viel mal sei du gegrüßt.

Soll ich dich dann nimmer sehen,
Ach das kann ich nicht verstehen,
O du bittrer Scheidensschluß.

Wär ich lieber schon gestorben,
Eh ich mir ein Schatz erworben,
Wär ich jetzo nicht betrübt.

Weiß nicht, ob auf dieser Erden
Nach viel Trübsal und Beschwerden
Ich dich wieder sehen soll.

Was für Wellen, was für Flammen
Schlagen über mir zusammen,
Ach wie groß ist meine Not.

Mit Geduld will ich es tragen,
Alle Morgen will ich sagen:
O mein Schatz, wann kommst zu mir?

Alle Abend will ich sprechen,
Wenn mir meine Äuglein brechen:
O mein Schatz, gedenk an mich!

Ja, ich will dich nicht vergessen,
Wann ich sollte unterdessen
Auf dem Totbett schlafen ein.

Auf dem Kirchhof will ich liegen
Wie das Kindlein in der Wiegen,
Das die Lieb tut wiegen ein.

TRITT ZU

Wann alle Wässerlein fließen,
Soll man trinken,
Wann ich mein Schatz nicht rufen darf, ju ja rufen darf,
So tu ich ihm winken.

Winken mit den Augen,
Und treten mit dem Fuß,
S'ist eine in der Stuben, ju ja Stuben,
Und die mir werden muß.

Warum soll sie mir nicht werden,
Denn ich seh sie gern,
Sie hat zwei blaue Äugelein, ju ja Äugelein,
Sie glänzen wie zwei Stern.

Sie hat zwei rote Bäckelein,
Sind röter als der Wein,
Ein solches Mädel findt man nicht, ju ja findt man nicht
Wohl unter dem Sonnenschein.

»Ach herziger Schatz, ich bitt dich drum,
Laß mich gehen!
Denn deine Leute schmähen mich, ju ja schmähen mich,
Ich muß mich schämen!«

»Was frag ich nach den Leuten,
Die mich schmähen;

Und so lieb ich noch einmal, ju ja noch einmal
Die schönen Mädchen.«

MAIKÄFERLIED

Maikäfer flieg,
Der Vater ist im Krieg,
Die Mutter ist im Pulverland.
Und Pulverland ist abgebrannt.

MARIENWÜRMCHEN

Marienwürmchen, setze dich
Auf meine Hand, auf meine Hand,
Ich tu dir nichts zuleide.
Es soll dir nichts zuleid geschehn,
Will nur deine bunten Flügel sehn,
Bunte Flügel, meine Freude.

Marienwürmchen, fliege weg,
Dein Häuschen brennt, die Kinder schrein
So sehre, wie so sehre.
Die böse Spinne spinnt sie ein,
Marienwürmchen, flieg hinein,
Deine Kinder schreien sehre.

Marienwürmchen, fliege hin
Zu Nachbars Kind, zu Nachbars Kind,
Sie tun dir nichts zuleide!
Es soll dir da kein Leid geschehn,
Sie wollen deine bunte Flügel sehn,
Und grüß sie alle beide.

Da drunten auf der Wiesen
Da ist ein kleiner Platz,
Da tät ein Wasser fließen,
Da wächst kein grünes Gras.

Da wachsen keine Rosen,
Und auch kein Rosmarein,
Hab ich mein Kind erstochen
Mit einem Messerlein.

Im kühlen Wasser fließet
Sein rosenrotes Blut,
Das Bächlein sich ergießet
Wohl in die Meeresflut.

Vom hohen Himmel sehen
Zwei blaue Äugelein,
Seh ich mein Englein stehen
In einem Sternelein.

Dort droben auf dem Berge
Da steht das hohe Rad,
Will ich mich drunter legen
Und trauern früh und spat.

Hast du mich denn verlassen
Der mich betrogen hat,
Will ich die Welt verlassen,
Bekennen meine Tat.

Der Leib der wird begraben,
Der Kopf steht auf dem Rad,

Es fressen den die Raben,
Der mich verführet hat.

SCHWEIZERISCH KRIEGSGEBET

Laßt üs abermal betta
Für üsra Stadt und Flecka,
Für üsre Küh und Geißa,
Für üsre Witwa und Waisa,
Für üsre Roß und Rinder,
Für üsre Weib und Kinder,
Für üsre Henna und Hahna,
Für üsre Kessel und Pfanna,
Für üsre Gäns und Endta,
Für üsre Oberst und Regenta,
An insonderheit für üsre liebi Schwitz,
Wenn der blutig Krieg wett ko,
Wett alls nä, so wetten wir üs treuli wehra
Und ihn niena dura loh,
Au den Find gar ztod schloh
Und dann singa:
»Eia Viktoria! der Find ischt ko, hett alles gno,
Hett Fenster i gschlaga, hett's Blie drus graba,
Hett Kugla drus gossa, und d' Baura erschossa;
Eia Viktoria! nu ischt's us, geht wiedri na Hus.«

FROMMER SOLDATEN SELIGSTER TOD

Kein selger Tod ist in der Welt,
Als wer vorm Feind erschlagen
Auf grüner Heid, in freiem Feld,
Darf nicht hören groß Wehklagen;
Im engen Bett sonst einer allein
Muß an den Todesreihen.

Hier aber findt er Gesellschaft fein,
Falln mit wie Kräuter im Maien;
Ich sag ohn Spott,
Kein selger Tod
Ist in der Welt,
Als so man fällt
Auf grüner Heid,
Ohn Klag und Leid,
Mit Trommeln Klang,
Und Pfeifen Gesang
Wird man begraben,
Davon wir haben
Unsterblichen Ruhm,
Die Helden fromm,
So setzen Leib und Blute
Dem Vaterland zugute.

DIE PRAGER SCHLACHT

Als die Preußen marschierten vor Prag,
Vor Prag, die schöne Stadt,
Sie haben ein Lager geschlagen,
Mit Pulver und mit Blei ward's betragen,
Kanonen wurden draufgeführt,
Schwerin hat sie da kommandiert.

Darauf rückte Prinz Heinrich heran
Wohl mit achtzigtausend Mann:
»Meine ganze Armee wollt ich drum geben,
Wenn mein Schwerin noch wär am Leben!«
O, ist das nicht eine große Not,
Schwerin ist geschossen tot!

Drauf schickten sie einen Trompeter hinein:
Ob sie Prag wollten geben ein?
Oder ob sie's sollten einschießen?
Die Bürger ließen sich's nicht verdrießen,
Sie wollten die Stadt nicht geben ein,
Es sollte und müßte geschossen sein.

Wer hat dies Liedlein denn erdacht?
Es haben's drei Husaren gemacht,
Unter Seydlitz sind sie gewesen,
Sind auch bei Prag selbst mitgewesen.
Viktoria, Viktoria, Viktoria,
König von Preußen ist schon da!

FRÜHLINGSBLUMEN

Herzlich tut mich erfreuen
Die fröhliche Sommerzeit,
All mein Geblüt erneuen,
Der Mai in Wollust freut,
Die Lerch tut sich erschwingen
Mit ihrem hellen Schall,
Lieblich die Vögel singen,
Dazu die Nachtigall.

Der Kuckuck mit seinem Schreien
Macht fröhlich jedermann,
Des Abends fröhlich reihen
Die Mädlein wohlgetan,
Spazieren zu den Brunnen,
Bekränzen sie zur Zeit,
Alle Welt sich freut in Wonnen
Mit Reisen fern und weit.

Es grünet in dem Walde,
Die Blumen blühen frei,
Die Röslein auf dem Felde
Von Farben mancherlei,
Ein Blümlein steht im Garten,
Das heißt Vergißnitmein,
Das edle Kraut Wegwarte
Macht guten Augenschein.

Ein Kraut wächst in der Aue,
Mit Namen Wohlgemut,
Liebt⋆ sehr den schönen Frauen,
Dazu die Holderblüt,
Die weiß und rote Rosen
Hält man in großer Acht,
Tut's Geld darum verlosen,
Schöne Kränze daraus macht.

Das Kraut Jelängerjelieber
An manchem Ende blüht,
Bringt oft ein heimlich Fieber,
Wer sich nicht dafür hüt;
Ich hab es wohl vernommen,
Was dieses Kraut vermag,
Doch kann man dem vorkommen,
Wer Maßlieb braucht all Tag.

Des Morgens in dem Taue
Die Mädlein grasen gehn,
Gar lieblich sich anschauen,
Bei schönen Blümlein stehn,
Daraus sie Kränzlein machen

⋆Gefällt.

Und schenken's ihrem Schatz,
Tun freundlich ihn anlachen
Und geben ihm ein Schmatz.

Darum lob ich den Sommer,
Dazu den Maien gut,
Der wendet allen Kummer
Und bringt viel Freud und Mut;
Der Zeit will ich genießen,
Dieweil ich Pfenning hab.
Und den es tut verdrießen,
Der fall die Stiegen herab.

KUCKUCK

Der Kuckuck auf dem Birnbaum saß, Kuckuck.
Es mag schneien oder regnen, so wird er nicht naß.
Der Kuckuck rief, wird naß.

Der Kuckuck fliegt übers Nachbar sein Haus, Kuckuck,
Schön Schätzel, bist drinnen, komm zu mir heraus,
Der Kuckuck, der Kuckuck ist drauß.

Ich steh dir nicht auf und laß dich nicht rein, Kuckuck,
Du möchtest mir der rechte Kuckuck nicht sein,
Der Kuckuck, der Kuckuck nicht sein.

Der rechte Kuckuck, der bin ich ja schon, Kuckuck,
Bin ich doch meines Vaters sein einziger Sohn,
Des Kuckuck, des Kuckuck sein Sohn.

Bist du deines Vaters sein einziger Sohn, Kuckuck,
Zieh nur beim Schnürlein,

Geh rein zum Türlein,
Geh selber herein,
Der Kuckuck ist mein.

WELTLICH RECHT

Joseph, lieber Joseph, was hast du gedacht,
Daß du die schöne Nanerl ins Unglück gebracht.

Joseph, lieber Joseph, mit mir ist's bald aus,
Und wird mich bald führen zu dem Schandtor hinaus.

Zu dem Schandtor hinaus, auf einen grünen Platz,
Da wirst du bald sehen, was die Lieb hat gemacht.

Richter, lieber Richter, richt nur fein geschwind,
Ich will ja gern sterben, daß ich komm zu meinem Kind.

Joseph, lieber Joseph, reich mir deine Hand,
Ich will dir verzeihen, das ist Gott wohl bekannt.

Der Fähnrich kam geritten und schwenket seine Fahn,
Halt still mit der schönen Nanerl, ich bringe Pardon.

Fähnrich, lieber Fähnrich, sie ist ja schon tot:
Gut Nacht, meine schöne Nanerl, deine Seel ist bei Gott.

EIN GUT GEWISSEN IST DAS BESTE RUHEKISSEN

Ich ging wohl bei der Nacht,
Die Nacht, die war so finster,
Daß man kein Stich mehr sah.

Ich kam vor eine Tür,
Die Tür, die war verschlossen,
Der Riegel war schon für.

Es sind der Töchter drei,
Die allerjüngste drunter,
Sie ließ den Knaben hinein.

Sie stellt ihn hinter die Tür,
Bis Vater und Mutter schlafen,
Sie zieht ihn wieder herfür.

Sie führt ihn die Stiege hinauf,
Sie führt ihn in die Kammer,
Zum Kammerladen schmeißt sie ihn naus.

Er fiel auf einen Stein,
Er fiel das Herz im Leib entzwei,
Dazu das linke Bein.

Er krüpelt über ein Steg,
Da kam ein altes Weib daher,
Sie zog ihn aus dem Weg.

Der Pater kam dazu,
Er nahm ihn auf den Buckel,
Und beichtet ihn zur Ruh.

Wenn's mir auch so sollt gehn,
So hol der Teufel das Buhlen,
Das Mägdlein laß ich stehn.

DIE JUDENTOCHTER

Es war eine schöne Jüdin,
Ein wunderschönes Weib,
Sie hatt' ein schöne Tochter,
Ihr Haar war schön geflochten,
Zum Tanz war sie bereit.

»Ach, liebste, liebste Mutter!
Was tut mir mein Herz so weh!
Ach, laßt mich eine Weile
Spazieren auf grüner Heide,
Bis daß mir's besser wird.«

Die Mutter wandt den Rücken,
Die Tochter sprang in Gaß,
Wo alle Schreiber saßen:
»Ach liebster, liebster Schreiber!
Was tut mir mein Herz so weh.«

»Wenn du dich lässest taufen,
Luisa sollst du heißen,
Mein Weibchen sollst du sein.«
»Eh ich mich lasse taufen,
Lieber will ich mich versaufen
Ins tiefe, tiefe Meer.

Gut Nacht, mein Vater und Mutter,
Wie auch mein stolzer Bruder,
Ihr seht mich nimmermehr!
Die Sonne ist untergegangen
Im tiefen, tiefen Meer.«

DREI REITER AM TOR

Es ritten drei Reiter zum Tor hinaus,
                    Ade!
Feinsliebchen schaute zum Fenster hinaus,
                    Ade!
Und wenn es denn soll geschieden sein,
So reich mir dein goldenes Ringelein,
                    Ade! Ade! Ade!
Ja, scheiden und meiden tut weh.

Und der uns scheidet, das ist der Tod,
                    Ade!
Er scheidet so manches Jungfräulein rot,
                    Ade!
Und wär doch geworden der liebe Leib
Der Liebe ein süßer Zeitvertreib,
                    Ade! Ade! Ade!
Ja, scheiden und meiden tut weh.

Er scheidet das Kind wohl in der Wiegen,
                    Ade!
Wenn werd ich mein Schätzel doch kriegen?
                    Ade!
Und ist es nicht morgen? Ach wär es doch heut,
Es macht uns allbeiden gar große Freud,
                    Ade! Ade! Ade!
Ja, scheiden und meiden tut weh.

HERR VON FALKENSTEIN

Es reit der Herr von Falkenstein
Wohl über ein breite Heide.

Was sieht er an dem Wege stehn?
Ein Mädel mit weißem Kleide.

»Wohin, wohinaus du schöne Magd?
Was machet Ihr hier alleine?
Wollt Ihr die Nacht mein Schlafbuhle sein,
So reitet Ihr mit mir heime.«

»Mit Euch heimreiten, das tu ich nicht,
Kann Euch doch nicht erkennen.«
»Ich bin der Herr von Falkenstein
Und tu mich selber nennen.«

»Seid Ihr der Herr von Falkenstein,
Derselbe edle Herre,
So will ich Euch bitten um'n Gefangnen mein,
Den will ich haben zur Ehe.«

»Den Gefangnen mein, den geb ich dir nicht,
Im Turm muß er vertrauern.
Zu Falkenstein steht ein tiefer Turm,
Wohl zwischen zwo hohen Mauern.«

»Steht zu Falkenstein ein tiefer Turm,
Wohl zwischen zwei hohen Mauern,
So will ich an den Mauern stehn,
Und will ihm helfen trauern.«

Sie ging den Turm wohl um und wieder um:
»Feinslieb, bist du darinnen?
Und wenn ich dich nicht sehen kann,
So komm ich von meinen Sinnen.«

Sie ging den Turm wohl um und wieder um,
Den Turm wollt sie aufschließen:
»Und wenn die Nacht ein Jahr lang wär,
Keine Stund tät mich verdrießen!

Ei, dürft ich scharfe Messer tragen,
Wie unsers Herrn seine Knechte,
Ich tät mit'm Herrn von Falkenstein
Um meinen Herzliebsten fechten!«

»Mit einer Jungfrau fecht ich nicht,
Was wär mir immer ein Schande!
Ich will dir deinen Gefangnen geben,
Zieh mit ihm aus dem Lande!«

»Wohl aus dem Lande, da zieh ich nicht,
Hab niemand was gestohlen;
Und wenn ich was hab liegen lan,
So darf ich's wieder holen.«

DAS RÖMISCHE GLAS

Stand ich auf einem hohen Berg,
Sah wohl den tiefen, tiefen Rhein,
Sah ich ein Schifflein schweben,
Viel Ritter tranken drein.

Der jüngste, der darunter war,
Hob auf sein römisches Glas,
Tät mir damit zuwinken,
»Feinslieb, ich bring dir das!«

»Was tust du mir zutrinken,
Was bietst du mir den Wein?

186

Mein Vater will mich ins Kloster tun,
Soll Gottes Dienerin sein.«

Des Nachts wohl um die halbe Nacht
Träumt es dem Ritter so schwer,
Als ob sein herzallerliebster Schatz
Ins Kloster gangen wär.

»Knecht, sattle mir und dir zwei Roß,
Mein Haupt ist mir so schwer,
Ich leerte gar viel mein römisch Glas,
Das Schiff ging hin und her.

Mir träumt, ich hätt eine Nonn gesehn,
Ich trank ihr zu mein Glas,
Sie wollt nicht gern ins Kloster gehn,
Ihr Äuglein waren naß.«

»Halt an, halt an, am Klostertor!
Ruf mir mein Lieb heraus!«
Da kam die älteste Nonn hervor,
»Mein Lieb soll kommen heraus.«

»Kein Feinslieb ist hier innen,
Kein Feinslieb kann heraus.«
»Und wenn kein Feinslieb drinnen ist,
So steck ich an das Haus.«

Da kam Feinslieb gegangen,
Schneeweiß war sie gekleidt:
»Mein Haar ist abgeschnitten,
Leb wohl in Ewigkeit!«

Er vor dem Kloster niedersaß,
Und sah ins tiefe, tiefe Tal,
Versprang ihm wohl sein römisch Glas,
Versprang ihm wohl sein Herz.

ROSMARIN

Es wollt die Jungfrau früh aufstehn,
Wollt in des Vaters Garten gehn,
Rot Röslein wollt sie brechen ab,
Davon wollt sie sich machen
Ein Kränzelein wohl schön.

Es sollt ihr Hochzeitskränzlein sein:
»Dem feinen Knab, dem Knaben mein,
Ihr Röslein rot, ich brech euch ab,
Davon will ich mir winden
Ein Kränzelein so schön.«

Sie ging im Grünen her und hin,
Statt Röslein fand sie Rosmarin:
»So bist du, mein Getreuer hin!
Kein Röslein ist zu finden,
Kein Kränzelein so schön.«

Sie ging im Garten her und hin,
Statt Röslein brach sie Rosmarin:
»Das nimm du, mein Getreuer, hin!
Lieg bei dir unter Linden
Mein Totenkränzlein schön.«

SPINNERLIED

Spinn, spinn, meine liebe Tochter,
Ich kauf dir ein Paar Schuh.
Ja, ja, meine liebe Mutter,
Auch Schnallen dazu;
Kann wahrlich nicht spinnen
Von wegen meinem Finger,
Meine Finger tun weh.

Spinn, spinn, meine liebe Tochter,
Ich kauf dir ein Paar Strümpf.
Ja, ja, meine liebe Mutter,
Schön Zwicklein darin;
Kann wahrlich nicht spinnen,
Von wegen meinem Finger,
Mein Finger tut weh.

Spinn, spinn, meine liebe Tochter,
Ich kauf dir einen Mann.
Ja, ja, meine liebe Mutter,
Der steht mir wohl an;
Kann wahrlich gut spinnen,
Von all meinen Fingern
Tut keiner mir weh.

SCHÖN DÄNNERL

Bin ich das schön Dännerl im Tal,
Schleuß Federn;
Da kommen die Jägerbursch all,
Wollen's lernen.
Geht nur all, ihr Gesellen,
Ihr könnt euch nicht anstellen:

Ich bin das schön Dännerl im Tal
Und bleib das schön Dännerl allemal.

Bin ich das schön Dännerl im Tal,
Strick Bändlein;
Da kommen die Schreibersbuben all,
Wollen tändeln.
Ich laß euch nicht tändeln,
Mit meinem Vortuchbändlein: Ich bin usw.

Bin ich das schön Dännerl im Tal,
Eß Zucker;
Da kommen die Schubladenbuben all,
Wollen gucken.
Geht, laßt's euch vergehen,
Ich laß euch nichts sehen.

Bin ich das schön Dännerl im Tal,
Strick Socken;
Da kommen die Gassenbuben all,
Wollen locken.
Geht, reist, ich mag nicht spielen,
Ihr seid mir zu viele.

Bin ich das schön Dännerl im Tal,
Tu gießen;
Da kommen die Schützenbursch all,
Wollen schießen.
Geht, lasset das nur bleiben,
Mein Blumen sind kein Scheiben.

Bin ich das schön Dännerl im Tal,
Tu lieben;

Da kommen Studentenbursch all
Mit den Hiebern.

Ja, ja, ihr meine Herren,
Ich will euch nicht aussperren:
Ich bin das schön Dännerl im Tal
Und bleib das schön Dännerl allemal.

HERR OLOF

Herr Olof reitet spät und weit,
Zu bieten auf seine Hochzeitleut;
Da tanzen die Elfen auf grünem Land,
Erlkönigs Tochter ihm reicht die Hand.
»Willkommen, Herr Olof, was eilst von hier?
Tritt her in den Reihen und tanz mit mir.«
»Ich darf nicht tanzen, nicht tanzen ich mag,
Früh morgen ist mein Hochzeittag.«
»Hör an, Herr Olof, tritt tanzen mit mir,
Zwei güldene Sporen schenk ich dir,
Ein Hemd von Seide so weiß und fein,
Meine Mutter bleicht's mit Mondenschein.«
»Ich darf nicht tanzen, nicht tanzen ich mag,
Früh morgen ist mein Hochzeittag.«
»Hör an! Herr Olof, tritt tanzen mit mir,
Einen Haufen Goldes schenk ich dir.«
»Einen Haufen Goldes nehm ich wohl,
Doch tanzen ich nicht darf noch soll.«
»Und willt, Herr Olof, nicht tanzen mit mir,
Soll Seuch und Krankheit folgen dir.«
Sie tät einen Schlag ihm auf sein Herz,
Noch nimmer fühlt er solchen Schmerz.
Sie hob ihn bleichend auf sein Pferd:
»Reit heim nun zu deinem Bräutlein wert.«

Und als er kam vor Hauses Tür,
Seine Mutter zitternd stand dafür.
»Hör an, mein Sohn, sag an mir gleich,
Wie ist deine Farbe blaß und bleich!«
»Und sollt sie nicht sein blaß und bleich,
Ich traf in Erlenkönigs Reich.«
»Hör an, mein Sohn, so lieb und traut,
Was soll ich nun sagen deiner Braut?«
»Sagt ihr, ich sei im Wald zur Stund,
Zu proben da mein Pferd und Hund.«
Früh morgen und als es Tag kaum war,
Da kam die Braut mit der Hochzeitschar.
Sie schenkten Met, sie schenkten Wein,
»Wo ist Herr Olof, der Bräutgam mein?«
»Herr Olof, er ritt in den Wald zur Stund,
Er probt allda sein Pferd und Hund.«
Die Braut hob auf den Scharlach rot,
Da lag Herr Olof, und er war tot.

VERSPÄTUNG

Mutter, ach Mutter, es hungert mich!
Gib mir Brot, sonst sterbe ich.
Warte nur, mein liebes Kind!
Morgen wollen wir säen geschwind.

Und als das Korn gesäet war,
Rief das Kind noch immerdar:
Mutter, ach Mutter, es hungert mich!
Gib mir Brot, sonst sterbe ich.
Warte nur, mein liebes Kind,
Morgen wollen wir ernten geschwind.

Und als das Korn geerntet war,
Rief das Kind noch immerdar:
Mutter, ach Mutter, es hungert mich!
Gib mir Brot, sonst sterbe ich.
Warte nur, mein liebes Kind!
Morgen wollen wir dreschen geschwind.

Und als das Korn gedroschen war,
Rief das Kind noch immerdar:
Mutter, ach Mutter, es hungert mich!
Gib mir Brot, sonst sterbe ich.
Warte nur, mein liebes Kind!
Morgen wollen wir mahlen geschwind.

Und als das Korn gemahlen war,
Rief das Kind noch immerdar:
Mutter, ach Mutter, es hungert mich!
Gib mir Brot, sonst sterbe ich.
Warte nur, mein liebes Kind!
Morgen wollen wir backen geschwind.
Und als das Brot gebacken war,
Lag das Kind schon auf der Bahr.

ALLE BEI GOTT, DIE SICH LIEBEN

Es hatt ein Herr ein Töchterlein,
Mit Namen hieß es Annelein,
Ein Herrn wollt man ihr geben,
Frau Markgräfin sollte es werden.

»Ach Vater, ich nehm noch keinen Mann,
Ich bin nicht älter dann elf Jahr.
Ich bin ein Kind und sterb fürwahr.«

Es stund nicht an ein halbes Jahr,
Das Fräulein mit dem Kinde ging,
Sie bat ihren Herrn im guten,
Er sollt jetzt holen ihre Mutter.

Und als er in den finstern Wald einritt,
Ihm sein Schwieger entgegen schritt:
»Wo habt Ihr dann Euer Fräulein?«

»Mein Fräulein liegt in großer Not,
Fürcht, wenn wir kommen, sei sie schon tot;
Mein Fräulein liegt in Ehren,
Ein Kind soll sie gebären.«

Und als er über die Heide ritt,
Ein Hirtlein hört er pfeifen,
Ein Glöcklein hört er läuten.

»Ei Hirtlein, liebes Hirtlein mein,
Was läutet man im Klösterlein,
Läutet man um die Vesperzeit,
Oder läutet man um eine Toten Leich?«

»Man läutet um eine Toten Leich!
Es ist dem jungen Markgrafen
Sein Fräulein mit dem Kind entschlafen.«

Und als er zu dem Tor einritt,
Und als er in den Hof einritt,
Drei Lichter sieht er brennen,
Drei Schülerknaben singen.

Und als er in die Stube kam,
Sein Fräulein in der Bahre lag,
Das Kindlein in ihren Armen lag.

Er küßt sie an ihren bleichen Mund:
»Jetzt bist du tot und nimmer gesund.«
Er küßt sein Kindlein an ihrem Arm,
Daß Gott erbarm, daß Gott erbarm.

Die Mutter, die war ganz allein,
Die setzt sich an ein harten Stein,
Vor Leid brach ihr das Herz entzwei.

Da zog er aus sein glitzerig Schwert,
Und stach's sich selber durch sein Herz.
Er sprach: »Ist's nicht ein Straf von Gott,
Vier Leichen in eines Fürsten Schloß.«

Es stand nicht länger als drei Tag,
Drei Lilien wuchsen auf des Fräuleins Grab,
Die erste weiß, die andre schwarz.

Die schwarz dem kleinen Kindlein war,
Weil es noch nicht getaufet war;
Auf der dritten war wohl geschrieben:
Sie sind alle bei Gott, die sich lieben.

Den Herrn, den gräbt man wieder aus,
Legt ihn zum Annelein ins Gotteshaus,
Da liegen vier Leichen zusammen,
Daß Gott erbarme. Amen!

Es ritt einst Ulrich spazieren aus,
Er ritt wohl vor lieb Ännchens Haus:
»Lieb Ännchen, willst mit in grünen Wald?
Ich will dir lehren den Vogelsang.«

Sie gingen wohl miteinander fort,
Sie kamen an eine Hasel dort,
Sie kamen ein Fleckchen weiter hin,
Sie kamen auf eine Wiese grün.

Er führte sie ins grüne Gras,
Er bat, lieb Ännchen niedersaß,
Er legte seinen Kopf in ihren Schoß,
Mit heißen Tränen sie ihn begoß.

»Ach Ännchen, liebes Ännchen mein,
Warum weinst denn du so sehr um ein'n?
Weinst irgend um deines Vaters Gut?
Oder weinest um dein junges Blut?

Oder bin ich dir nicht schön genug?«
»Ich weine nicht um meines Vaters Gut,
Und, Ulrich, du bist mir auch schön genug.

Da droben auf jener Tannen,
Elf Jungfraun sah ich hangen.«
»Ach Ännchen, liebes Ännchen mein,
Wie bald sollst du die zwölfte sein.«

»Soll ich denn nun die zwölfte sein?
Ich bitt, Ihr wollt mir drei Schrei verleihn.«

Den ersten Schrei und den sie tat,
Sie rufte ihren Vater an.

Den andern Schrei und den sie tat,
Sie ruft ihren lieben Herrgott an;
Den dritten Schrei und den sie tat,
Sie ruft ihren jüngsten Bruder an.

Ihr Bruder saß beim roten kühlen Wein,
Der Schall, der fuhr zum Fenster hinein:
»Höret, ihr Brüder alle,
Meine Schwester schreit aus dem Walde.«

»Ach Ulrich, lieber Ulrich mein,
Wo hast du die jüngste Schwester mein?«
»Dort oben auf jener Linde
Schwarzbraune Seide tut sie spinnen.«

»Warum sind deine Schuh so blutrot?
Warum sind deine Augen so tot?«
»Warum sollten sie nicht blutrot sein?
Ich schoß ein Turteltäubelein.«

»Das Turteltäublein, das du erschoßt,
Das trug meine Mutter unter ihrer Brust,
Das trug meine Mutter in ihrem Schoß,
Und zog es mit ihrem Blute groß.«

Lieb Ännchen kam ins tiefe Grab,
Schwager Ulrich auf das hohe Rad,
Um Ännchen sungen die Engelein,
Um Ulrich schrien die Raben allein.

Was wollen wir singen und heben an?
Von einem Hans Steutlinger,
Hat aus dem Adel geheiratet,
Hat geheirat ein adlige Frau.

»Ei Knechte, lieber Knechte mein,
Sattel mir und dir zwei Pferd,
Gen Freiburg wollen wir reiten,
Gen Offenburg haben wir guten Weg.

Und da ich in Freiburg eine kam,
Fürs jungen Herrn Friedrich sein Haus,
Da schaute der junge Herr Friedrich
Zum obern Fenster heraus.«

»Hans Steutlinger, lieber Hans Steutlinger,
Kommt zu mir jetzt herein,
Steigt ab jetzt von Euerem Sattel,
Helft essen die wildesten Schwein.«

»Vom Sattel will ich wohl steigen,
Will treten auch zu Euch hinein,
Wenn Ihr mir wollet verheißen,
Daß ich kein Gefangner mehr sei.«

Sie gaben dem Hans Steutlinger gute Wort,
Bis sie ihn brachten oben an Tisch;
»Ei, iß und trink, Hans Steutlinger,
Dein Leben wird nimmermehr frisch.«

»Wie kann ich essen und trinken,
Wie kann ich nur fröhlich sein,

Mein Herz möcht mir versinken
Beim Met und beim kühlesten Wein.«

»Hans Steutlinger, wem vermacht Ihr Euer Weib?«
»Ich vermach sie dem lieben Herrn Friederich,
Dem vermach ich ihren untreuen Leib,
Der sieht sie viel lieber noch als ich.«

»Hans Steutlinger, lieber Hans Steutlinger,
Wem vermacht Ihr Eure Kind?«
»Ich vermach sie dem lieben Gott selber,
Der weiß am besten, wem sie sind.«

»Hans Steutlinger, lieber Hans Steutlinger,
Wem vermachet Ihr Euer Gut?
»Ich vermach's den armen Leuten,
Die Reichen haben selber genug.«

DER BAYRISCHE HIESEL

»Ei, du mein liebe Thresel,
Ich bin nun wieder da,
Zu Nacht sollst mich behalten,
Gelt, schlag mir's nicht ab.«

»Ei, bayrischer Matthiesel,
Zieh aus deinen Rock,
Setz dich ein Weil nieder,
Bis ich dir was koch.«

»Ei, du mein liebe Thresel,
Es hungert mich nicht,
Ich bin gar weit gangen,
Darum bin ich müd.«

»Warum bist du gangen
Und bist allzu müd?«
»Drei Hirsch hab ich schossen,
Die hab ich bei mir.«

»Ei, sollt dich nicht hungern,
Ei, durstet dich nicht?«
»Mein Hund hält die Wache,
Das Best ihm zuricht.«

»Ei, bayrischer Matthiesel,
Zieh aus deine Schuh,
Leg dich ein Weile nieder,
Und deck dich warm zu.«

»Ei, du mein liebe Thresel,
Allein kann's nicht sein,
Wenn ich im Bette liege,
Mußt auch bei mir sein.«

»Wenn die Kuh ist gemolken,
Die Milch ist geseiht,
So will ich schon kommen,
Da ist es noch Zeit.«

Sie schliefen zusammen
Die zeitlange Nacht,
Bis daß manch schön Hirschlein
Am Fenster rum grast.

»Ei, Thresel, sollst aufstehn,
Bring Krapfen heraus,
Zwölf Jäger sind draußen,
Geschwind mach uns auf.«

»Ei, meine liebe Jäger,
Euch laß ich nicht ein,
Ich tu mich stets fürchten
Und bin ganz allein.«

»Ei, du mein liebe Thresel,
Du führst uns nur blind,
Dein bayrischer Matthiesel
Ist auch bei dir drin.«

»Ei, bayrischer Matthiesel,
Du kunstreicher Kund,
Zwölf Jäger sind draußen
Und drei große Hund.«

»Ei, du mein liebe Thresel,
Laß mir sie herein,
Ich tu mich nicht fürchten,
Wenn's noch so viel sein.«

»Ei, bayrischer Matthiesel,
Zieh an deinen Rock,
Du mußt mit uns nun gehen
In Graftilands Schloß.«

»Und ehe ich mit euch gehe,
Mein Leben ich wag,
Hab noch funfzig Gulden,
Die geb ich euch dann.«

»Ja, deine funfzig Gulden,
Die sind uns schon recht,
Die wollen wir kriegen,
Und wär's noch viel mehr.«

»Ei, meine liebe Jäger,
Noch eins ich nur frag,
Ob ich wohl im Heimgehn
Ein Gemslein mir jag?

Ei, meine liebe Jäger,
Jetzt geht es zum Schluß,
Gehn wir nicht zusammen,
So gibt's kein Verdruß.«

Sechs Jäger sind draußen,
Sechs Jäger sind drin,
Sechs hat er geschossen,
Sechs laufen davon.

Der Hund tät sie fangen,
Sie fallen aufs Knie.
Die Thresel tut bitten:
»Die tun dir's wohl nie!«

»Ei, bayrischer Matthiesel,
Das Leben uns schenk,
Wir tragen dir die Hirsche
So weit du gedenkst.«

»Trotz Jäger auf Almen,
Merkt, grün ist mein Hut,
Drauf Schildhahnenfedern
Und Gemsbart mit Blut.«

DUSLE UND BABELI

Es hätte ein Bauer ein Töchterli,
Mit Name hieß es Babeli,

Es hätt ein Paar Zöpfle, sie sind wie Gold,
Drum ist ihm auch der Dusle hold.

Der Dusle lief dem Vater nach:
»O Vater, wollt Ihr mir's Babele lan?«
»Das Babele ist noch viel zu klein,
Es schläft dies Jahr noch wohl allein.«

Der Dusle lief in einer Stund
Lief abe bis gen Solothurn,
Er lief die Stadt wohl auf und ab,
Bis er zum öbersten Hauptmann kam:

»O Hauptmann, lieber Hauptmann mein,
Ich will mich dingen in Flandern ein.«
Der Hauptmann zog die Säckelschnur,
Gab dem Dusle drei Taler draus.

Der Dusle lief wohl wieder heim,
Heim zu sein'm liebe Babelein:
»O Babele, liebes Babele mein,
Jetzt hab i mi dungen in Flandern ein.«

Das Babele lief wohl hinters Haus,
Es greint sich schier sein Äugele aus:
»O Babele, tu doch nit so sehr,
I will ja wieder kommen zu dir!

Und komm ich übers Jahr nit heim,
So will ich dir schreiben ein Briefelein.
Darinnen soll geschrieben stehn:
Ich will min Babele wiedersehn!«

Es stehen drei Stern am Himmel,
Die geben der Lieb ihren Schein:
»Gott grüß Euch, schönes Jungfräulein,
Wo bind ich mein Rösselein hin?«

»Nimm du es, dein Rößlein, beim Zügel, beim Zaum,
Bind's an den Feigenbaum.
Setz dich ein kleine Weile nieder
Und mach mir eine kleine Kurzweil.«

»Ich kann und mag nicht sitzen,
Mag auch nicht lustig sein,
Mein Herz ist mir betrübet,
Feinslieb, von wegen dein.«

Was zog er aus der Taschen?
Ein Messer, war scharf und spitz,
Er stach's seiner Lieben durch's Herze,
Das rote Blut gegen ihn spritzt.

Und da er's wieder herauser zog,
Von Blut war es so rot!
»Ach reicher Gott vom Himmel,
Wie bitter wird mir der Tod!«

Was zog er ihr abe vom Finger?
Ein rotes Goldringelein,
Er warf's in fließend Wasser,
Es gab seinen klaren Schein:

»Schwimm hin, schwimm her, Goldringelein,
Bis an den tiefen See!

Mein Feinslieb ist mir gestorben,
Jetzt hab ich kein Feinslieb mehr.«

So geht's, wenn ein Mädel zwei Knaben lieb hat,
Tut wunderselten gut;
Das haben wir beid erfahren,
Was falsche Liebe tut.

SCHWIMM HIN, SCHWIMM HER DU RINGLEIN

Nichts Schöneres kann mich erfreuen,
Als wenn es der Sommer angeht,
Da blühen die Rosen im Maien,
Trompeter, die blasen ins Feld.

Trompeter, die haben's geblasen;
Soldaten marschieren ins Feld,
Sie ziehen dem Feinde entgegen,
Zum Streite wohl sind sie bestellt.

Dort drunten ins Kaisers Schloßgarten,
Da stehet ein Feigenbaum,
Da müssen wir alle ablegen
Pistolen und Säbelgezeug.

Ach, Schätzel, was hab ich erfahren,
Daß du jetzt willst reisen von hier,
Willst reisen ins fremde Land nause,
Wann kommst du wieder zu mir?

Und da ich im fremden Land draußen war,
Gedacht ich gleich wieder nach Haus;
Ach wär ich zu Hause geblieben
Und hätte gehalten mein Wort.

Und als ich wieder nach Hause kam,
Feinsliebchen stand unter der Tür,
Gott grüß dich, du Hübsche, du Feine,
Von Herzen gefallest du mir!

Ich brauche dir nicht zu gefallen,
Ich habe schon längst einen Mann,
Dazu einen hübschen und feinen,
Der mich wohl ernähren kann.

Was zog er aus seiner Tasche?
Ein Messer, war scharf und war spitz;
Er stach es Feinsliebchen ins Herze,
Das rote Blut gegen ihn spritzt.

Er zog es gleich wieder herause,
Vom Blute da war es so rot;
Hast du nun gelitten die Schmerzen,
So will ich auch leiden den Tod.

Da nun das Liebchen gestorben,
Wo begrabt man sie denn hin?
In ihres Vaters Schloßgarten,
Wo weiße Lilien blühn.

Was zog er da von seinem Finger?
Ein Ringlein, das war von Gold,
Er warf es sogleich in das Wasser,
Die Wellen, die geben den Schein.

Schwimm hin, schwimm hin, du Ringlein,
Schwimm hin in das Meer hinein
Und grüß mir mein Vater und Mutter
Und sag, ich komm nimmermehr heim.

ABSCHIED VON BREMEN

O Bremen, ich muß dich nun lassen,
O du wunderschöne Stadt,
Und darinnen muß ich lassen
Meinen allerschönsten Schatz.

Wir haben oft beisamm gesessen,
Manche schöne Mondennacht,
Manchen Schlaf zusamm vergessen,
Und die Zeit so zugebracht.

Mein Koffer rollt, der Morgen kühlet,
Ach, die Straßen sind so still,
Und was da mein Herze fühlet,
Nimmermehr ich sagen will.

Der Weg mich schmerzlich wieder lenket
Hin, wo Liebchen sah herab,
Daß sie ja noch mein gedenket,
Drück ich zwei Pistolen ab.

Bald jagt vor dir in diesen Gassen
Manches Windlein dürren Staub,
Meine Seufzer sind's, sie lassen
Vor dir nieder trocknes Laub.

So steh ich wirklich nun im Schiffe,
Meinen Koffer seh ich drauf,
Wie der Schiffer herzhaft pfiffe,
Zogen wir wohl Anker auf.

Ich seh den Sturmwind rauschend gehen,
O, mein Schiff hat schnellen Lauf,

Wird es wohl zugrunde gehen?
Wanket nicht Gedanken drauf.

PETRUS

Der Herr, der stellt ein Gastmahl an
Mit seinen Jüngern alln,
Sie gingen in ein Garten,
Wo lustig jedermann.

Als die Juden den Herrn gefangen nahmen,
Da laufen die Jünger davon,
Den Petrus hat einer am Mantel ertappt:
»Glatzkopf, jetzt hab ich dich schon.«

Der Petrus zieht den Sabel,
Er wollte sie hauen allhie,
Er haut ganz miserabel,
Die mehrst Hieb gehn daneben.

Der Herr gab ihm ein Deuter:
»Ach, Petrus, steck ein dein Schwert,
Du bist ein Erzbärnhäuter,
Dein Schneid ist kein Teufel wert.«

Das wollte den Petrus verdrießen,
Daß er erst der niemand sollt sein,
Er zog heraus sein Sabel
Und hieb ganz sackerisch drein.

Der Malchus stund daneben,
Und hat sich nicht umgeschaut,
Dem hat er ä Täscherl aufs Dach auf geben
Und 's Ohrwatschl putz weggehaut.

Der Malchus fängt protz und zu weinen an
Und schrie da überlaut:
»Herr, heil mir doch mein Ohr wieder an,
Der Glatzkopf hat mir's weggehaut.«

Der Herr, der nahm des Malchus Ohr
Und wollt's gleich wieder kurieren,
Auf einmal sprang der Petrus hervor,
Fängt an zu räsonieren:

»Was hat mich denn mein Haun genutzt,
Da wär ich ja ein Hans,
Was ich so sackrisch hab zusammen geputzt,
Das machst du gleich wieder ganz.«

Er ging bei des Kaisers Kohlenfeuer,
Da saßen die Juden dick,
Da führt der Teufel die Dienstmagd her,
Der Petrus kennet sie nicht.

»Aha, du bist auch einer,
Der mit im Garten war!«
Der Petrus lügt wie Stahl und Band,
Sprach: »Hör, es ist nicht wahr.«

DER MORDKNECHT

Es reit ein Herr und auch sein Knecht
Wohl über ein Heide, die war schlecht.
Ja schlecht!
Und alles, was sie redeten da,
War alls von einer wunderschönen Frauen,
Ja Frauen!

»Ach Schildknecht, lieber Schildknecht mein,
Was redst von meiner Frauen?
Ja Frauen!
Und fürchtest nich mein braunen Schild,
Zu Stücken will ich dich hauen,
Vor mein'n Augen.«

»Euern braunen Schild den fürcht ich klein,
Der lieb Gott wird mich wohl behüten,
Behüten!«
Da schlug der Knecht sein'n Herrn zu tot,
Das geschahe um Fräuleinsgüte,
Ja Güte!

»Nun will ich heim gehen landwärts ein,
Zu einer wunderschönen Frauen,
Ja Frauen!
Ach Fräulein gebt mir Botenlohn,
Euer edler Herr und der ist tot,
So fern auf breiter Heide,
Ja Heide!«

»Und ist mein edler Herre tot,
Darum will ich nicht weinen,
Ja weinen!
Den schönsten Buhlen, den ich hab,
Der sitzt bei mir daheime,
Mutteralleine.

Nun sattle mir mein graues Roß,
Ich will von hinnen reiten,
Ja reiten!«

Und da sie auf die Heide kam,
Drei Lilien täten sich neigen,
Auf breiter Heiden.

Auf band sie ihm sein blanken Helm,
Und sah ihn unter sein Augen,
Ja Augen.
»Nun muß es Christ geklaget sein,
Wie bist du so sehr zerhauen,
Unter dein Augen.

Nun will ich in ein Kloster ziehen,
Will'n lieben Gott für dich bitten,
Ja bitten!
Das er dich ins Himmelreich woll lan,
Das gescheh durch meinetwillen,
Schweig stillen!«

Wer ist's, der uns den Reihen sang,
Matthias Jäger ist er genannt,
Beim Trunk hat er's gesungen,
Gesungen.
Er ist sei'm Widersacher von Herzen feind,
Zu ihm kann er nicht kommen,
Ja kommen.

DAS WELTENDE

Ob ich gleich kein Schatz nicht hab,
Will ich schon ein finden,
Geh ich's Gäßlein auf und ab
Bis zur großen Linden.

Als ich zu der Linden kam,
Saß mein Schatz daneben:
»Grüß dich Gott, herzlieber Schatz!
Wo bist du gewesen?«

»Schatz, wo ich gewesen bin,
Darf ich dir wohl sagen,
War in fremde Lande hin,
Hab gar viel erfahren.

Sah am Ende von der Welt,
Wie die Bretter paßten,
Noch die alten Monden hell
All in einem Kasten.

Sahn wie schlechte Tischtuch aus,
Sonne kam gegangen,
Tippte nur ein wenig drauf,
Brannt mich wie mit Zangen.

Hätt ich einen Schritt getan,
Hätt ich nichts mehr funden,
Sage nun, mein Liebchen, an,
Wie du dich befunden.«

»Ich befand mich in dem Tal,
Saßen da zwei Hasen,
Fraßen ab das grüne Gras,
Bis zum dürren Rasen.

In der kalten Wintersnacht
Ließest du mich sitzen,
Ei, mein schwarzbraun Äugelein,
Mußt du Wasser schwitzen.

Darum reis' in Sommernacht
Nur zu aller Welt Ende,
Wer sich gar zu lustig macht,
Nimmt ein schlechtes Ende.«

DIE FROMME MAGD

Eine fromme Magd von gutem Stand
Geht ihrer Frauen fein zur Hand,
Hält Schüssel, Tisch und Teller weiß
Zu ihrem und der Frauen Preis.

Sie trägt und bringt kein neue Mär,
Geht still in ihrer Arbeit her,
Ist treu und eines keuschen Muts,
Und tut den Kindern alles Guts.

Sie ist auch munter, hurtig, frisch,
Verbringet ihr Geschäfte risch,
Und hält's der Frauen wohl zugut,
Wenn sie um Schaden reden tut.

Sie hat dazu ein fein Gebärd,
Hält alles sauber an dem Herd,
Verwahrt das Feuer und das Licht
Und schlummert in der Kirche nicht.

FAMILIENGEMÄLDE

An allem Ort und Ende
Soll der gesegnet sein,
Den Arbeit seiner Hände
Ernähret still und fein.

Gott will ihm dazu geben
Ein Ehfrau tugendreich,
Die ein'r fruchtbaren Weinreben
Sich soll verhalten gleich.

Recht wie junge Ölzweige
Wachsen und grünen frisch,
So sollen in der Reihe
Die Kindlein um den Tisch
Gar fein und höflich stehen
In Zucht und guter Sitt,
Der Vater soll sie sehen
Im dritt und vierten Glied.

DON JUAN

Ich hatt' nun mei Trutschel
Ins Herz nei geschlosse,
Sie hat mir geschworen,
Sie wöll mich net losse.
Da reit mir der Teufel den Schulzen sei Hans,
Der führt sie zum Tanz.

So geht's, wenn die Mädcher
Zum Tanzboden gehn,
Da muß man bald immer
In Sorgen bei stehn,
Daß sie sich verliebe in andere Knecht,
So Mädcher sind schlecht.

Es schmeckt mir kein Essen,
Es schmeckt mir kein Trinke,
Und wenn ich soll arbeit,
So möcht ich versinke;

Kurz wenn ich mei Trutschel net bald wiederseh,
So muß ich vergeh.

Und wenn ich gestorbe,
Ich lat mich begrabe,
Und lat mer vom Schriner
Zwei Brettcher abschabe,
Und lat mer zwei firige Herzer druf male.
Ich kann sie bezahle.

Und lat mer anstimme
Die Sterbegesänge:
»Da leit nu der Esel
Die Quer und die Länge,
Der allzeit gesteckt hat in Liebesaffäre,
Zu Erde muß wern.«

FÜR FUNFZEHN PFENNIGE

Das Mägdlein will ein Freier habn,
Und sollt sie'n aus der Erde grabn,
Für funfzehn Pfennige.

Sie grub wohl ein, sie grub wohl aus,
Und grub nur einen Schreiber heraus,
Für funfzehn Pfennige.

Der Schreiber hatt' des Gelds zu viel,
Er kauft dem Mägdlein, was sie will,
Für funfzehn Pfennige.

Er kauft ihr wohl ein'n Gürtel schmal,
Der starrt von Gold wohl überall,
Für funfzehn Pfennige.

Er kauft ihr einen breiten Hut,
Der wär wohl für die Sonne gut,
Für funfzehn Pfennige.

»Wohl für die Sonn, wohl für den Wind,
Bleib du bei mir, mein liebes Kind,
Für funfzehn Pfennige.

Bleibst du bei mir, bleib ich bei dir,
All meine Güter schenk ich dir,
Sind funfzehn Pfennige.«

»Behalt dein Gut, laß mir mein'n Mut,
Kein andre leicht dich nehmen tut,
Für funfzehn Pfennige.«

»Dein guten Mut, den mag ich nicht,
Hat traun von treuer Liebe nicht,
Für funfzehn Pfennige.

Dein Herz ist wie ein Taubenhaus,
Fliegt einer nein, der andre aus,
Für funfzehn Pfennige.«

GLÜCK DER SCHLEMMER

Es steht ein Baum in Österreich,
Der trägt Muskatenblumen;
Die erste Blume, die er trug,
Die brach ein's Königs Tochter.

Dazu so kam ein Reuter gegangen,
Der freit des Königs Tochter;

Er freit sie länger denn sieben Jahr,
Er konnt sie nicht erfreien.

Laß ab, laß ab, du junger Knab,
Du kannst mich nicht erfreien;
Ich bin viel besser geborn denn du
Von Vater und auch von Mutter.

Bist du viel besser geboren denn ich
Von Vater und auch von Mutter,
So bin deines Vaters gedingter Knecht,
Und schwing dem Rößlein sein Futter.

Bist du mein's Vaters gedingter Knecht,
Und schwingst dem Rößlein sein Futter;
So gibt dir mein Vater auch großen Lohn,
Damit laß dir genügen.

Den großen Lohn, den er mir gibt,
Der wird mir viel zu sauer;
Wenn andre zum Schlafkämmerlein gehn,
So muß ich zu der Scheuer.

Des Nachts wohl um die halbe Nacht,
Das Mägdlein begunnt zu trauren;
Sie nahm ihre Kleider untern Arm
Und ging wohl zu der Scheuer.

Des Morgens, da der Tag anbrach,
Die Mutter begunnt zu rufen;
Steh auf, steh auf, du gedingter Knecht,
Und gib dem Roß das Futter.

Das Futter, das ich ihm geben will,
Das liegt in meinen Armen,
Nächten abends war ich Euer gedingter Knecht,
Euer Eidam bin ich worden.

Daß du mein Eidam worden bist,
Dess' muß sich Gott erbarmen!
Ich hab sie Rittern und Grafen versagt,
Dem Schlemmer ist sie worden!

Dem Schlemmer, dem sie worden ist,
Der kann sie wohl ernähren;
Er trinkt viel lieber den kühlen Wein
Denn Wasser aus dem Brunnen.

Der uns dies neue Liedlein sang,
Er hat's gar wohl gesungen;
Er ist dreimal in Paris gewesen
Und immer wieder kommen.

DAS GROSSE KIND

Ich hört ein Fräulein klagen,
Fürwahr ein weiblich Bild,
Ihr Herz wollt ihr verzagen
Durch einen Jüngling mild.
Das Fräulein sprach mit Listen:
»Er liegt an meinen Brüsten,
Der Allerliebste mein.

Warum sollt ich aufwecken
Den Allerliebsten mein.
Ich fürcht, es möcht erschrecken
Das junge Herze sein;

Er ist mein Herzgeselle,
Er liegt an seiner Stelle,
Wie gern ich bei ihm bin.

Er ist mein Kindlein kleine,
Er atmet noch so heiß,
Und daß er nur nicht weine,
Ich sang ihn ein so leis!«
Das Fräulein sagt mit Listen:
»Es schläft an meinen Brüsten
Der Allerliebste mein.«

DAS GLAUBST DU NUR NICHT

In den finstern Wäldern,
Da die Wolken schwarz,
In den Distelfeldern
Fühl ich mich so wahr;
Wo die Vöglein lustig sein,
Ach da fühlt mein Herz nur Pein:
Das glaubst du nur nicht!

O ihr hohen Berge,
Fallet auf mich zu,
Und den Müden berget
In der kühlen Ruh,
Tausend Seufzer schick ich dir
Durch die kühlen Winde hier:
Das glaubst du nur nicht!

Das ist übertrieben!
Sagest du mir stets;
Ach was ist das Lieben,
Nimmermehr gerät's:

Ich will es nun lassen ganz,
Du bist eine dumme Gans:
Das glaubst du nur nicht.

ROMANZE VON DEN SCHNEIDERN

Es sind einmal drei Schneider gewesen, o je!
Es sind einmal drei Schneider gewesen,
Sie haben ein Schnecken für ein Bären angesehen,
       O je, o je, o je!
Sie waren dessen so voller Sorgen,
Sie haben sich hinter ein Zaun verborgen.
Der erste sprach: Geh du voran,
Der andre sprach: Ich trau mich nicht dran.
Der dritte, der war wohl auch dabei.
Er sprach: der frißt uns alle drei.
Und als sie sind zusammen kommen,
So haben sie das Gewehr genommen.
Nadel, Pfriemen und Eisenstab,
Nichts geht als Kuraschi ab.
Und da sie kommen zu dem Streit,
Da macht ein jeder Reu und Leid.
Und da sie auf ihn wollten hin,
Da ging es ihnen durch den Sinn:
»Heraus mit dir, du Teufelsviech,
Wann du willt haben einen Stich.«
Der Schneck, der steckt die Ohren heraus,
Die Schneider zittern, es ist ein Graus.
Und da der Schneck das Haus bewegt,
So haben die Schneider das Gewehr gestreckt.
Der Schneck, der kroch zum Haus heraus,
Er jagt die Schneider beim Plunder hinaus.
       O je, o je, o je!

Das Schneiderlein sah am Wege stehn
Eine alte verzottelte Geiß,
Da sprach dieselbe: Zick, Zick, Zick,
Bock, Bock, Bock, Meck, Meck, Meck,
Da ward's dem Schneiderlein heiß.

Das Schneiderlein fing zu laufen an,
Lauft in das Wirtshaus hinein,
Da sprach derselbige: Zick, Zick, Zick,
Bock, Bock, Bock, Meck, Meck, Meck,
Schenkt mir ein halb Maß ein.

Das Schneiderlein fing zu saufen an,
Sauft aus dem Fingerhut,
Da sprach derselbige: Zick, Zick, Zick,
Bock, Bock, Bock, Meck, Meck, Meck,
Wie schmeckt der Wein so gut.

Das Schneiderlein fing zu tanzen an,
Tanzt in der Stuben herum,
Da fiel derselbige Zick, Zick, Zick,
Bock, Bock, Bock, Meck, Meck, Meck,
Vor Ohnmacht gar bald um,

Das Schneiderlein wurde begraben dann
In eine hohle verzottelte Geiß,
Da sprach derselbe: Zick, Zick, Zick,
Bock, Bock, Bock, Meck, Meck, Meck,
Wie ist die Hölle so heiß.

FLUSSÜBERGANG

Es hatten sich siebenzig Schneider verschworen,
Sie wollten zusammen ins Niederland fahren,
Da nähten sie einen papierenen Wagen,
Der siebenzig tapfere Schneider konnt tragen,
Die Zottelgeiß spannten sie dran,
Hott, Hott, Meck, Meck, ihr lustigen Brüder,
Nun setzt euer Leben daran.

Sie fuhren, da trat wohl an einem Stege
Den Schneidern der Geiß ihr Böcklein entgegen,
Und schaute die Meister gar trotziglich an;
Darunter war aber ein herzhafter Mann,
Der zog wohl den kupfernen Fingerhut an,
Und zog eine rostige Nadel heraus,
Und stach das Geißböcklein, daß es sprang.

Da schüttelt das Böcklein gewaltig die Hörner,
Und jagte die Meister durch Distel und Dörner,
Zerriß auch dem Held den manschesternen Kragen,
Erbeutet viel Ellen und Scheren im Wagen,
Und weil achtundsechzig gesprungen in Bach,
So hat nur ein einziger sein Leben verloren,
Weil er nicht konnt springen, er war zu schwach.

$90 \times 9 \times 99$

Es waren einmal die Schneider,
Die hatten guten Mut,
Da tranken ihrer neunzig
Neunmal neunundneunzig
Aus einem Fingerhut.

Und als die Schneider versammelt waren,
Da hielten sie einen Rat,
Da saßen ihrer neunzig
Neunmal neunundneunzig
Auf einem Kartenblatt.

Und als die Schneider nach Hause kamen,
Da können sie nicht hinein,
Da schlupften ihrer neunzig
Neunmal neunundneunzig
Zum Schlüsselloch hinein.

Und als die Schneider recht lustig waren,
Da hielten sie einen Tanz,
Da tanzten ihrer neunzig
Neunmal neunundneunzig
Auf einem Geißenschwanz.

Und als sie auf der Herberg waren,
Da hielten sie einen Schmaus,
Da fraßen ihrer neunzig
Neunmal neunundneunzig
An einer gebacknen Maus.

Und als ein Schnee gefallen war,
Da hielten sie Schlittenfahrt,
Da fuhren ihrer neunzig
Neunmal neunundneunzig
Auf einem Geißenbart.

Und als die Schneider nach Hause wollen,
Da haben sie keinen Bock,
Da reiten ihrer neunzig

Neunmal neunundneunzig
Auf einem Haselstock.

Und als die Schneider nach Hause kamen,
Da saßen sie beim Wein,
Da tranken ihrer neunzig
Neunmal neunundneunzig
An einem Schöpplein Wein.

Und als sie alle besoffen war'n,
Da sah man sie nicht mehr,
Da krochen ihrer neunzig
Neunmal neunundneunzig
In eine Lichtputzscher.

Und als sie ausgeschlafen hatten,
Da können sie nicht heraus,
Da wirft sie alle neunzig
Neunmal neunundneunzig
Der Wirt zum Fenster hinaus.

Und als sie vor das Fenster kamen,
Da fallen sie um und um,
Da kommen ihrer neunzig
Neunmal neunundneunzig
In einem Kandel um.

AUSSICHT IN DIE EWIGKEIT

O wie geht's im Himmel zu
Und im ewigen Leben,
Alles kann man haben gnug,
Darf kein Geld ausgeben,
Alles darf man borgen,

Nicht fürs Zahlen sorgen;
Wenn ich einmal drinnen wär,
Wollt nicht mehr heraus begehr.

Fällt im Himmel Fasttag ein,
Speisen wir Forellen,
Peter geht in Keller nein,
Tut den Wein bestellen;
David spielt die Harpfen,
Ulrich bratet Karpfen,
Margaret backt Küchlein gnug,
Paulus schenkt den Wein in Krug.

Lorenz hinter der Küchentür
Tut sich auch bewegen,
Tritt mit seinem Rost herfür,
Tut Leberwürst drauf legen,
Dorthe und Sabina,
Lisbeth und Kathrina
Alle um den Herd rum stehn,
Nach den Speisen sie auch sehn.

Jetzt wollen wir zu Tische gehn,
Die beste Speis zu essen,
Die Engel um den Tisch rum stehn,
Schenken Wein in d' Gläser.
Sie tun uns invitieren,
Der Barthel muß transchieren,
Joseph legt das Essen vor,
Cäcilia b'stellt ein Musikchor

Martin auf dem Schimmel reit,
Tut fein galoppieren,
Blasi hält die Schmier bereit,

Tut die Kutschen schmieren,
Wären wir ja Narren,
Wenn wir nicht täten fahren
Und täten alleweil zu Fuße gehn
Und ließen Roß und Kutsche stehn.

Nun adje, du falsche Welt,
Du tust mich verdrießen,
Im Himmel mir es besser g'fällt,
Wo alle Freuden fließen,
Alles ist verfänglich,
Und alles ist vergänglich,
Wenn ich einmal den Himmel hab,
Hust ich auf die Welt herab.

KERBHOLZ UND KNOTENSTOCK

Seid lustig und fröhlich,
Ihr Handwerksgesellen,
Denn es kommt die Zeit,
Die uns all erfreut:
Sie ist schon da!

Wir haben uns besonnen,
Feierabend genommen
In der Still,
Reden nicht zu viel,
Brauchen nicht viel Wort!

Wir haben uns besonnen,
Wo wir werden hinkommen,
Reisen ist kein Schand,
Zu Wasser und zu Land,
Gehn auch abends zu Bier.

Wir haben uns besonnen,
Wo wir werden hinkommen,
In das Österreich,
Gilt uns alles gleich,
Wien ist die Hauptstadt!

Kaiser, Königin zu sehn,
Etwas zu erlernen,
Von Bescheidenheit,
Von der Höflichkeit,
Wie auch von Manier!

Preßburg in Ungarn
Hat uns bezwungen,
Breslau in der Schlesing,
Bin ich schon gewesen,
Das gefällt mir wohl.

Moskau in Rußland,
Allerlei Leder sind mir da bekannt,
Juchten und Korduan,
Zucker und Marzipan
Ißt man allda zum Frühstück.

Bozen in Ellischland,
Inspruck im Tirolerland,
Setz mich auf das Meer,
Fahre hin und her,
Nach Holland hinein.

Amsterdam in Holland,
Schöne Farben sind uns wohlbekannt.
Grün und Blau,

Scharlachrot,
Karmasinfarbrot.

Haben einen weiten Gang
Fort in das Tirooolerland,
Frankreich in Paris,
Wo ich meine Stiefeln ließ,
Ist allda ein Lazarett!

Dresden in Sachsen,
Wo die schönen Mädel auf den Bäumen wachsen,
Hätt ich dran gedacht,
Hätt ich eine mitgebracht
Für den Altgesellen auf der Post.

Prag in Böhmen, mag ich auch nicht sein,
Sein so viele Juden darein,
Alle liebe Tag
Ist es eine Klag,
Daß ein Mordtat geschach.

Dreißigtausend groß und klein
Studitutidenten tun drin sein,
Jederzeit
Ist es ihre Freud,
Wenn sie machen brave Beut.

Können Juden vexieren,
Recht tribulieren,
Sie gehen her
Mit Schweinenschmer
Schmieren sie ihnen die Bärt.

Haben noch einen harten Stand
Bis nunter ins Krawattenland,
Sitz ich auf der Sau
Und herummer schau,
Belgrad ist schon da.

Nun adje, Heidelberg,
Bist eine rechte Staatsherberg,
Ist ganz still,
Wenn man will
Singen die ganze Nacht.

Nun adje, du werte Stadt,
Weil es ausgeregnet hat,
Mit dem Parableh
Geh ich nach der See,
Wenn ich komm vom großen Faß.

RECHENEXEMPEL

Bruder Liederlich,
Was saufst dich so voll?
O du mein Gott,
Was schmeckt's mir so wohl.

Am Montag
Muß versoffen sein,
Was Sonntag
Übrig war vom Wein.

Am Dienstag
Schlafen wir bis neun,
Ihr liebe Brüder,
Führt mich zum Wein.

Am Mittwoch
Ist mitten in der Wochen,
Haben wir das Fleisch gefressen,
Freß der Meister die Knochen.

Am Donnerstag
Stehn wir auf um vier,
Ihr lieben Brüder,
Kommt mit zum Bier.

Am Freitag
Gehen wir ins Bad,
Alle Lumperei
Waschen wir ab.

Am Samstag
Da wollen wir schaffen,
Spricht der Meister:
»Könnt's bleiben lassen.«

Am Sonntag
Vor dem Essen
Spricht der Meister:
»Jetzt wollen wir rechnen.

Die ganze Woche
Hast du gelumpt,
Hast du gesoffen,
Null für Null geht auf.«

Bons dies, Bock!
Dei Grats, Block!
Wieviel Tuch zum Rock?
Sieben Ellen!
Wann soll ich ihn haben?
Gleich auf der Stelle,
Auf den Sonntagabend,
Sprach der Geselle.
Sonntag kam, Block kam.

Bons dies, Bock!
Dei Grats, Block!
Nun, wo ist mein Rock?
Nicht genug Tuch!
Sieben Ellen kein Rock?
Was soll's dann werden, Bock?
Ein Wames, Block!
Wann soll ich ihn haben?
Gleich auf der Stelle,
Auf den Sonntag abend,
Sprach der Geselle.
Sonntag kam, Block kam.

Bons dies, Bock!
Dei Grats, Block!
Wo ist nun mein Wams, Block?
Nicht genug Tuch!
Sieben Ellen kein Wams,
Was soll's dann werden, Bock?
Ein paar Hosen, Block!
Wann soll ich sie haben?
Gleich auf der Stelle,

Auf den Sonntag abend.
Sprach der Geselle.
Sonntag kam, Block kam!

Bons dies, Bock
Dei Grats, Block!
Wo sind nun die Hosen, Bock!
Nicht Tuch genug!
Sieben Ellen nicht Hosen, nicht Wams, nicht Rock?
Was soll's dann werden, Bock?
Ein paar Strümpfe, Block!
Wann soll ich sie haben?
Gleich auf der Stelle,
Auf den Sonntag abend,
Sprach der Geselle.
Sonntag kam, Block kam.

Bons dies, Bock!
Dei Grats, Block!
Wo sind nun die Strümpfe, Bock?
Nicht Tuch genug!
Sieben Ellen nicht Strümpf, nicht Hosen, nicht Wams,
                                    nicht Rock?
Was soll's dann werden, Bock?
Ein paar Handschuh, Block!
Wann soll ich sie haben?
Gleich auf der Stelle,
Auf den Sonntag abend,
Sprach der Geselle.
Sonntag kam, Block kam.

Bons dies, Bock!
Dei Grats, Block!
Wo sind nun die Handschuh, Bock?

232

Nicht Tuch genug!
Sieben Ellen nicht Handschuh, nicht Strümpfe, nicht Hosen,
                              nicht Wams, nicht Rock?
Was soll's dann werden, Bock?
Ein Däumling, Block!
Wann soll ich ihn haben?
Gleich auf der Stelle,
Auf den Sonntag abend,
Sprach der Geselle.
Sonntag kam, Block kam.

Bons dies, Bock!
Dei Grats, Block!
Wo ist nun mein Däumling, Bock?
Nicht Tuch genug!
Sieben Ellen nicht Däumling, nicht Handschuh, nicht
        Strümpf, nicht Hosen, nicht Wams, nicht Rock?
Was soll's dann werden, Bock?
Noch ein Viertel
Wird's ein Gürtel, Block!
Wann soll ich ihn haben?
Gleich auf der Stelle,
Auf den Sonntag abend,
Sprach der Geselle.
Sonntag kam, Block kam.

Bons dies, Bock!
Dei Grats, Block!
Wo ist mein Gürtel, Bock?
Das Tuch ist zerbrochen,
Ihr tragt's schon acht Wochen!
Block tät zum Krämer laufen,
Tät ein neues Tuch kaufen.
Und wär der Block nicht gestorben,
Der Bock hätt ihn verdorben.

Die liebste Buhle, die ich han,
Die liegt beim Wirt im Keller,
Sie hat ein hölzern Röcklein an,
Und heißt der Muskateller.
Sie hat mich nächten trunken gemacht,
Und fröhlich mir den Tag vollbracht,
Drum wünsch ich ihr ein gute Nacht.

Sie hat mich auch so angelacht,
Daß ich die Sprach verloren,
Und hat mir gestern Bauchweh gemacht
Wohl zwischen meinen Ohren,
Drum tu ich ihr ein Possen heut,
Und bring zu ihr ein andre Maid,
Die mag mit ihr bestehn den Streit.

Nun Mägdlein, halt dein Kränzlein fest,
Daß du nicht kömmst zum Weichen,
Mein Wein tut heut gewiß sein Best,
Gar sanft wird er einschleichen.
Mein Herz hält Wasser als ein Sieb,
Mein Buhl, er ist mir gar zu lieb.
Steig ein, schleich ein, du lieber Dieb.

»Soll ich mein Kränzlein halten fest,
Das sein hängt an der Pforten,
Viel lieber wär ich nie gewest
In diesem schweren Orden.
Dein Buhl dreht mir die Sinnen all,
Das Gläslein hat ein glatten Schall,
Gib acht, mein Knab, daß ich nit fall.«

Und wenn er in ein faul Faß käm,
So müßt mein Wein versauren,
Und wenn ich eine andre nähm,
So müßt mein Herz vertrauren;
Drum will mein Buhl mir stehen bei,
Er lehrt mich sagen also frei,
Daß ich dich mein mit steter Treu.

»Und wär ein Fäßlein noch so rein,
So findt man Drusen drinnen,
Und wär ein Knabe noch so fein,
Ist er doch falsch von Sinnen.
Mit Spinnen voll ein Zuckerlad,
O weh, der mich verführet hat
Auf diesen steilen Rebenpfad.«

Ach, Mägdlein, laß dein Weinen sein,
Bis daß geweint die Reben,
Und bringst du mir ein Knäbelein,
Ein Winzer soll es geben,
Und bringst du ein klein Mägdelein,
Soll's nähen mit der Nadel fein
Den Schlemmern ihre Hemdelein.

TRINKLIED

Man sagt wohl, in dem Maien
Da sind die Brünnlein gesund,
Ich glaub's nicht meiner Treuen,
Es schwenkt eim nur den Mund,
Und tut im Magen schweben,
Drum will mir's auch nicht ein,
Ich lob die edlen Reben,
Die bringen uns gut Wein.

Wo Heu wächst auf der Matten,
dem frag ich gar nichts nach,
Es hab Sonn oder Schatten,
Ist mir geringe Sach.
Gut Heu, das wächst an Reben,
Daselbig wolln wir han,
Gut Streu tut es auch geben,
Das weiß wohl Weib und Mann.

Und wer es nicht kann kauen,
Der geh auch nicht zum Wein,
Doch seh ich an dem Hauen,
Daß wir gut Mäher sein:
Wir rechen's mit den Zähnen,
Und worflen's mit dem Glas,
Der Magen muß sich dehnen,
Daß er's in Scheuer laß.

Wir han gar kleine Sorgen
Wohl um das Römisch Reich,
Es sterb heut oder morgen,
Das gilt uns alles gleich;
Und ging es auch in Stücke,
Wenn nur das Heu gerät,
Daraus drehn wir ein Stricke,
Der es zusammen näht.

Die Specksupp ist geraten,
Den Schlaftrunk bringt uns her,
Ist noch ein Weck am Laden,
Er ist nit sicher mehr,
Ein Kaiser steckt zum Spieße,
Ein Künglein in Pastet,

Arm Ritter macht recht süße,
Bis daß der Hahn gekräht.

Das Liedlein will sich enden,
Wo ist daheime nu?
Tappt hin nur an den Wänden,
Und legt das Heu zur Ruh,
Der Wagen schwankt hereine,
Sie han geladen schwer,
Er bräch, wenn nicht am Rheine
Der Strick gewachsen wär.

Ich bind mein Schwert zur Seiten
Und mach mich bald davon,
Hab ich dann nit zu reiten,
Zu Fuße muß ich gon,
Ich taumle als ein Gänselein,
Das ziehet auf die Wacht,
Das tut das Heu und auch der Wein,
Ade zur guten Nacht.

HIER LIEGT EIN SPIELMANN BEGRABEN

»Guten Morgen, Spielmann,
Wo bleibst du so lang?«
Da drunten, da droben,
Da tanzten die Schwaben
Mit der kleinen Killekeia,
Mit der großen Kum Kum.

Da kamen die Weiber
Mit Sichel und Scheiben,
Und wollten den Schwaben
Das tanzen vertreiben

Mit der kleinen Killekeia,
Mit der großen Kum Kum.

Da laufen die Schwaben
Und fallen in Graben,
Da sprechen die Schwaben:
Liegt ein Spielmann begraben
Mit der kleinen Killekeia,
Mit der großen Kum Kum.

Da laufen die Schwaben,
Die Weiber nachtraben
Bis über die Grenze
Mit Sichel und Sense:
»Guten Morgen, Spielleut,
Nun schneidet das Korn.«

NÄCHTLICHE JAGD

Mit Lust tät ich ausreiten
Durch einen grünen Wald,
Darin da hört ich singen
Drei Vögelein wohlgestalt.
Und sind es nicht drei Vögelein,
So sind's drei Fräulein fein;
Soll mir das ein nicht werden,
So gilt's das Leben mein.

Die Abendstrahlen breiten
Das Goldnetz übern Wald,
Und ihm entgegen streiten
Die Vöglein, daß es schallt;
Ich stehe auf der Lauer,
Ich harr auf dunkle Nacht,

Es hat der Abendschauer
Ihr Herz wohl weich gemacht.

Ins Jubelhorn ich stoße,
Das Firmament wird klar,
Ich steige von dem Rosse
Und zähl die Vögelschar.
Die ein ist schwarzbraun Anne,
Die andre Bärbelein,
Die dritt hat keinen Namen,
Die soll des Jägers sein.

Da drüben auf jenem Berge,
Da steht der rote Mond,
Hier hüben in diesem Tale
Mein feines Liebchen wohnt.
Kehr dich, Feinslieb, herumme,
Biet ihm den roten Mund,
Sonst ist die Nacht schon umme,
Es schlägt schon an der Hund.

GEMACHTE BLUMEN

Es wollt ein Mägdlein Wasser holen
Bei einem kühlen Brunnen;
Ein schneeweiß Hemdlein hat sie an,
Dadurch scheint ihr die Sonne.

Sie sah sich um, sie sah sich her,
Sie meint, sie wär alleine;
Da kam ein Reuter daher geritten,
Er grüßt die Jungfrau reine.

»Gott grüß Euch, zartes Jungfräulein,
Wie stehet Ihr hier allein;
Wollt Ihr dies Jahr mein Schlafbuhl sein?
So ziehet mit mir heime.«

»Und Euer Schlafbuhl bin ich nicht,
Ihr bringt mir dann drei Rosen,
Die in der Zeit gewachsen sein,
Wohl zwischen Weihnacht und Ostern.«

Er reit über Berg und tiefe Tal,
Er konnt ihrer keine finden;
Er reit wohl vor der Malerin Tür:
»Frau Malerin, seid Ihr darinnen?

Seid Ihr darin, so kommt herfür,
Und malet mir drei Rosen,
Die dieses Jahr gewachsen sein,
Wohl zwischen Weihnachten und Ostern.«

Und da die Rosen gemalet waren,
Da hub er an zu singen:
»Erfreu dich, Mägdlein, wo du bist,
Drei Rosen tu ich dir bringen.«

Das Mägdlein an dem Laden stund,
Gar bitterlich tät sie weinen;
Sie sprach: »Ich hab's im Scherz geredt,
Ich meint, Ihr findet keine!«

»Hast du es nur im Scherz geredt,
Gar scherzlich wolln wir's wagen;
Bin ich dein Scherz, bist du mein Scherz,
So scherzen wir beid zusammen.«

STARKE EINBILDUNGSKRAFT

Mädchen

Hast gesagt, du willst mich nehmen,
Sobald der Sommer kommt.
Der Sommer ist gekommen,
Du hast mich nicht genommen,
Geh, Buble, geh nehm mich!
Gelt ja, du nimmst mich noch.

Bube

Wie soll ich dich denn nehmen,
Und wenn ich dich schon hab.
Denn wenn ich halt an dich gedenk,
Denn wenn ich halt an dich gedenk,
So mein ich, so mein ich,
Ich mein, ich wär bei dir.

RHEINISCHER BUNDESRING

Bald gras ich am Neckar,
Bald gras ich am Rhein,
Bald hab ich ein Schätzel,
Bald bin ich allein.

Was hilft mir das Grasen,
Wann die Sichel nicht schneidt,
Was hilft mir ein Schätzel,
Wenn's bei mir nicht bleibt.

So soll ich dann grasen
Am Neckar, am Rhein,
So werf ich mein goldiges
Ringlein hinein.

Es fließet im Neckar
Und fließet im Rhein,
Soll schwimmen hinunter
Ins tiefe Meer 'nein.

Und schwimmt es das Ringlein,
So frißt es ein Fisch,
Das Fischlein soll kommen
Auf's Königs sein Tisch.

Der König tät fragen,
Wem's Ringlein soll sein?
Da tät mein Schatz sagen,
Das Ringlein g'hört mein.

Mein Schätzlein tät springen
Berg auf und Berg ein,
Tat mir wiedrum bringen
Das Goldringlein fein.

Kannst grasen am Neckar,
Kannst grasen am Rhein,
Wirf du mir immer
Dein Ringlein hinein.

DES ANTONIUS VON PADUA FISCHPREDIGT

Antonius zur Predig
Die Kirche findt ledig,
Er geht zu den Flüssen
Und predigt den Fischen;
Sie schlag'n mit den Schwänzen,
Im Sonnenschein glänzen.

Die Karpfen mit Rogen
Sind all hierher zogen,
Haben d'Mäuler aufrissen,
Sich Zuhörens beflissen:
Kein Predig niemalen
Den Karpfen so g'fallen.

Spitzgoschete Hechte,
Die immerzu fechten,
Sind eilend herschwommen
Zu hören den Frommen:
Kein Predig niemalen
Den Hechten so g'fallen.

Auch jene Phantasten,
So immer beim Fasten,
Die Stockfisch ich meine,
Zur Predig erscheinen.
Kein Predig niemalen
Dem Stockfisch so g'fallen.

Gut Aalen und Hausen,
Die Vornehme schmausen,
Die selber sich bequemen,
Die Predig vernehmen:
Kein Predig niemalen
Den Aalen so g'fallen.

Auch Krebsen, Schildkroten,
Sonst langsame Boten,
Steigen eilend vom Grund,
Zu hören diesen Mund:
Kein Predig niemalen
Den Krebsen so g'fallen.

Fisch große, Fisch kleine,
Vornehm und gemeine,
Erheben die Köpfe
Wie verständge Geschöpfe:
Auf Gottes Begehren
Antonium anhören.

Die Predig geendet,
Ein jedes sich wendet,
Die Hechte bleiben Diebe,
Die Aale viel lieben.
Die Predig hat g'fallen.
Sie bleiben wie alle.

Die Krebs' gehn zurücke,
Die Stockfisch bleiben dicke,
Die Karpfen viel fressen,
Die Predig vergessen.
Die Predig hat g'fallen,
Sie bleiben wie alle.

LIED BEIM HEUEN

Es hatte ein Bauer ein schönes Weib,
Die blieb so gerne zu Haus,
Sie bat oft ihren lieben Mann,
Er sollte doch fahren hinaus,
Er sollte doch fahren ins Heu,
Er sollte doch fahren ins
Ha, ha, ha; ha, ha, ha, Heidildei,
Juchheisasa,
Er sollte doch fahren ins Heu.

Der Mann, der dachte in seinem Sinn:
Die Reden, die sind gut!
Ich will mich hinter die Haustür stelln,
Will sehn, was meine Frau tut,
Will sagen, ich fahre ins Heu, usw.

Da kommt geschlichen ein Reitersknecht
Zum jungen Weibe hinein,
Und sie umpfanget gar freundlich ihn,
Gab stracks ihren Willen darein.
Mein Mann ist gefahren ins Heu, usw.

Er faßte sie um ihr Gürtelband
Und schwang sie wohl hin und her,
Der Mann, der hinter der Haustür stand,
Ganz zornig da trat herfür:
Ich bin noch nicht fahren ins Heu, usw.

Ach trauter, herzallerliebster Mann,
Vergib mir nur diesen Fehl,
Will lieben fürbaß und herzen dich,
Will kochen süß Mus und Mehl;
Ich dachte, du wärest ins Heu, usw.

Und wenn ich gleich gefahren wär
Ins Heu und Haberstroh,
So sollst du nun und nimmermehr
Einen andern lieben also,
Der Teufel mag fahren ins Heu, usw.

Und wer euch dies neue Liedlein pfiff,
Der muß es singen gar oft,
Es war der junge Reitersknecht,
Er liegt auf Grasung im Hof,
Er fuhr auch manchmal ins Heu, usw.

UNTREUE

In den Garten wollen wir gehen,
Wo die schönen Rosen stehen,
Da stehen der Rosen gar zu viel,
Brech ich mir eine, wo ich will.

Wir haben gar öfters beisammen gesessen,
Wie ist mir mein Schatz so treu gewesen,
Das hatt' ich mir nicht gebildet ein,
Daß mein Schatz so falsch könnt sein.

Hört ihr nicht den Jäger blasen,
In dem Wald auf grünem Rasen?
Den Jäger mit dem grünen Hut,
Der meinen Schatz verführen tut?

DER TOTE KNABE

Es wollt ein Mädchen früh aufstehn
Und in den grünen Wald spazieren gehn.

Und als sie nun in den grünen Wald kam,
Da fand sie einen verwundeten Knabn.

Der Knab, der war von Blut so rot,
Und als sie sich verwandt, war er schon tot.

»Wo krieg ich nun zwei Leidfräulein,
Die mein fein Knaben zu Grabe wein'n?
Wo krieg ich nun sechs Reuterknabn,
Die mein fein Knaben zu Grabe tragn?
Wie lang soll ich denn trauern gehn?
Bis alle Wasser zusammen gehn!

Ja alle Wasser gehn nicht zusammn,
So wird mein Trauren kein Ende han.«

NICHT WIEDERSEHN

Nun ade, mein allerherzliebster Schatz,
Jetzt muß ich wohl scheiden von dir,
Bis auf den andern Sommer,
Dann komm ich wieder zu dir.

Und als der junge Knab heimkam,
Von seiner Liebsten fing er an,
Wo ist meine Herzallerliebste,
Die ich verlassen hab?

Auf dem Kirchhof liegt sie begraben,
Heut ist's der dritte Tag,
Das Trauren und das Weinen
hat sie zum Tod gebracht.

Jetzt will ich auf den Kirchhof gehen,
Will suchen meiner Liebsten Grab,
Will ihr alleweil rufen,
Bis daß sie mir Antwort gibt.

Ei, du mein allerherzliebster Schatz,
Mach auf dein tiefes Grab,
Du hörst kein Glöcklein läuten,
Du hörst kein Vöglein pfeifen,
Du siehst weder Sonn noch Mond!

1

Nach meiner Lieb viel hundert Knaben trachten,
Allein der, den ich lieb, will mein nicht achten,
Ach weh mir armen Maid, vor Lieb muß ich verschmachten.

Jeder begehrt zu mir sich zu verpflichten,
Allein der, den ich lieb, tut mich vernichten,
Ach weh mir armen Maid, was soll ich dann anrichten.

All andre tun mir Gutes viel verjehen,
Allein der, den ich lieb, mag mich nicht sehen,
Ach weh mir armen Maid, wie muß mir dann geschehen.

Von allen keiner mag mir widerstreben,
Allein der, den ich lieb, will sich nicht geben,
Ach weh mir armen Maid, was soll mir dann das Leben.

2

Ich wollt, daß der verhindert mich
An meinem Glück, sollt halten sich
Ein Jahr nach meinem Willen,
Ich wollt ihm gar in kurzer Zeit all seinen Hochmut stillen.

Ich wollt, daß der mein jetzund spott,
Ein Jahr sollt halten mein Gebot,
Er würd dermaßen büßen,
Daß ihm gewiß in Tagen kurz seins Lebens sollt verdrießen.

3

Ich bin gen Baden zogen,
Zu löschen meine Brunst,
So find ich mich betrogen,

Denn es ist gar umsunst,
Wer kann das Feuer kennen,
Das mir mein Herz tut brennen!

Ich tu mich vielmals wäschen
Mit Wasser kalt und heiß,
Und kann doch nicht erlöschen,
Ja mein kein Rat mehr weiß,
Kann nicht das Feuer kennen,
Das mir im Herz tut brennen.

4

Wenn ich den ganzen Tag
Geführt hab meine Klag,
So gibt's mir noch zu schaffen
Bei Nacht, wann ich soll schlafen.
Ein Traum mit großem Schrecken
Tut mich gar oft aufwecken.

Im Schlaf seh ich den Schein
Des Allerliebsten mein
Mit einem starken Bogen,
Darauf viel Pfeil gezogen.
Damit will er mich heben
Aus diesem schweren Leben.

Zu solchem Schreckgesicht
Kann ich stillschweigen nicht,
Ich schrei mit lauter Stimmen:
»O Knabe, laß dein Grimmen,
Nicht wollst, weil ich tu schlafen,
Jetzt brauchen deine Waffen.«

5

Ach hartes Herz, laß dich doch eins erweichen,
Laß mich zu deiner Huld doch noch gereichen;
Wen sollt doch nicht erbarmen,
Daß ich muß als erarmen.

Ach starker Fels, laß dich doch eins bewegen,
Tu dein gewohnte Härt eins von dir legen;
Wen sollt doch nicht erbarmen,
Daß ich muß als erarmen.

Ach feste Burg, laß dich doch eins gewinnen,
Ach reicher Brunn, laß mich nicht gar verbrinnen;
Wen sollt doch nicht erbarmen,
Daß ich muß als erarmen.

6

Wer sehen will zween lebendige Brunnen,
Der soll mein zwei betrübte Augen sehen,
Die mir vor Weinen schier sind ausgerunnen.

Wer sehen will viel groß und tiefe Wunde,
Der soll mein sehr verwundtes Herz besehen,
So hat mich Lieb verwundt im tiefsten Grunde.

Wer sehen will ein Brunst groß ungeheuer,
Der soll allein mich arme Maid besehen,
Denn ich brinn ganz und gar von Liebesfeuer.

Wer wissen will, wer mir auftu solch Plagen,
Soll nach dem Schönsten auf der Erde fragen,
Er ist allein Ursach all meiner Klagen.

Der süße Schlaf, der sonst stillt alles wohl,
Kann stillen nicht mein Herz mit Trauren voll,
Das schafft allein, der mich erfreuen soll.

Kein Speis, kein Trank mir Luft noch Nahrung gibt,
Kein Kurzweil mehr mein traurig Herze liebt,
Das schafft allein, der so mein Herz betrübt.

Gesellschaft ich nicht mehr besuchen mag,
Ganz einig sitz in Unmut Nacht und Tag.
Das schafft allein, den ich im Herzen trag.

Recht wie ein Leichnam wandle ich umher
Zu seiner Türe nachts und seufze schwer
Aus meiner Brust, an Trost und Wohlsein leer.

Mein Atem stöhnet wie ein Fichtenwald,
Ein Unglückszeichen mein Gesang erschallt,
Daß alle Nachbarn sich ergrimmen bald.

Sie lärmen, nicht zu hören all mein Weh,
Sie nehmen Umweg, daß mich keiner seh,
Jetzt fürcht ich nichts, war scheu sonst wie ein Reh.

Wie von dem Ast im Traum ein Vogel fällt,
So flattre ich des Nachts, so ungesellt;
Ein Unglücksvogel nimmermehr gefällt!

Was soll draus werden? fraget alle Welt.
Was ist die Welt? Wer schuf sie unbestellt?
Der schuf allein, die mich so sehr entstellt.

Ich freu mich, wie mein Fleisch so schwinden tut,
Mein festes Land zerreißt der Strom vom Blut,
Der aus dem Herzen kommt und niemals ruht.

O meine Tränen, keiner schätzet euch,
Ihr seid den Himmelsgaben darin gleich;
An allem bin ich arm, in euch so reich.

LIEBESDIENST

Es war ein Markgraf über dem Rhein,
Der hatte drei schöne Töchterlein.
Zwei Töchterlein früh heiraten weg,
Die dritt hat ihn ins Grab gelegt.
Dann ging sie singen vor Schwesters Tür:
»Ach, braucht Ihr keine Dienstmagd hier?«

»Ei Mädchen, du bist mir viel zu fein,
Du gehst gern mit den Herrelein.«
»Ach nein! ach nein! das tu ich nicht,
Daß ich so mit den Herrlein geh.«
Sie dingt das Mägdlein ein halbes Jahr,
Das Mägdlein dient ihr sieben Jahr.

Und als die sieben Jahr um warn,
Da wurd' das Mägdlein täglich krank.
»Sag, Mägdlein, wenn du krank willst sein,
So sag mir, wer sind die Eltern dein?«
»Mein Vater war Markgraf über dem Rhein
Und ich bin sein jüngstes Töchterlein.«

»Ach nein! ach nein! das glaub ich nicht,
Daß du meine jüngste Schwester bist.«
»Und wenn du mirs nicht glauben willst,

So geh nur an meine Kiste hin,
Daran wird es geschrieben stehn.«

Und als sie an die Kiste kam,
Da rannen ihr die Backen ab:
»Ach bringt mir Weck, ach bringt mir Wein,
Das ist mein jüngstes Schwesterlein!«
»Ich will auch kein Weck, ich will auch kein Wein,
Will nur ein kleines Lädelein,
Darin ich will begraben sein.«

Kinderlieder

EIN WAHRHEITSLIED

Als Gott der Herr geboren war,
Da war es kalt.
Was sieht Maria am Wege stehn?
Ein Feigenbaum.
Maria laß du die Feigen noch stehn,
Wir haben noch dreißig Meilen zu gehn,
Es wird uns spät.

Und als Maria ins Städtlein kam
Vor eine Tür,
Da sprach sie zu dem Bäuerlein:
Behalt uns hier,
Wohl um das kleine Kindelein,
Es möcht dich wahrlich sonst gereun,
Die Nacht ist kalt.

Der Bauer sprach von Herzen ja,
Geht in den Stall!
Als nun die halbe Mitternacht kam,
Stand auf der Mann;
Wo seid ihr dann, ihr armen Leut?
Daß ihr noch nicht erfroren seid,
Das wundert mich.

Der Bauer ging da wieder ins Haus,
Wohl aus der Scheuer,
Steh auf, mein Weib, mein liebes Weib,
Und mach ein Feuer,
Und mach ein gutes Feuerlein,
Daß diese armen Leutelein
Erwärmen sich.

Und als Maria ins Haus hin kam,
Da war sie froh,
Joseph, der war ein frommer Mann,
Sein Säcklein holt;
Er nimmt heraus ein Kesselein,
Das Kind tät ein bißchen Schnee hinein,
Und das sei Mehl.

Es tat ein wenig Eis hinein,
Und das sei Zucker,
Es tat ein wenig Wasser drein,
Und das sei Milch;
Sie hingen den Kessel übern Herd,
An einen Haken, ohn Beschwerd
Das Müslein kocht.

Ein Löffel schnitzt der fromme Mann
Von einem Span,
Der ward von lauter Helfenbein
Und Diamant,
Maria gab dem Kind den Brei,
Da sah man, daß es Jesus sei,
Unter seinen Augen.

HAVELE HAHNE

Havele, havele, Hahne,
Fastennacht geht ane,
Droben in dem Hinkelhaus
Hängt ein Korb mit Eier raus;
Droben in der Firste
Hängen die Bratwürste,
Gebt uns die langen,
laßt die kurzen hangen,

Ri ra rum,
Der Winter muß herum;
Was wollt ihr uns denn geben,
Ein glückseligs Leben,
Glück schlag ins Haus,
Komm nimmermehr heraus.

KINDERPREDIGT

Ein Huhn und ein Hahn,
Die Predigt geht an,
Ein Kuh und ein Kalb,
Die Predigt ist halb,
Ein Katz und ein Maus,
Die Predigt ist aus,
Geht alle nach Haus
und haltet ein Schmaus.
Habt ihr was, so eßt es,
Habt ihr nichts, vergeßt es,
Habt ihr ein Stückchen Brot,
So teilt es mit der Not,
Und habt ihr noch ein Brosämlein,
So streuet es den Vögelein.

SONNENLIED

Sonne, Sonne, scheine,
Fahr über Rheine,
Fahr übers Glockenhaus,
Gucken drei schöne Puppen raus,
Eine, die spinnt Seiden,
Die andre wickelt Weiden,
Die andre geht ans Brünnchen,
Findet ein goldig Kindchen!

Wer solls heben?
Die Töchter aus dem Löwen.
Wer soll die Windeln wäschen?
Die alten Schneppertäschen.

IM FRÜHLING, WENN DIE MAIGLÖCKCHEN LÄUTEN

Kling, kling, Glöckchen,
Im Haus steht ein Döckchen,
Im Garten steht ein Hühnernest,
Stehn drei seidne Döckchen drin,
Eins spinnt Seiden,
Eins flicht Weiden,
Eins schließt den Himmel auf,
Läßt ein bißchen Sonn heraus,
Läßt ein bißchen drin,
Daraus die Liebfrau Maria spinn
Ein Röcklein für ihr Kindelein.

ERSCHRECKLICHE GESCHICHTE VOM HÜHNCHEN UND VOM HÄHNCHEN

Ein Hühnchen und ein Hähnchen sind miteinander in die Nußhecken gegangen, um Nüsse zu essen, und jedes Nüßchen, welches das Hähnchen fand, hat es mit dem Hühnchen geteilt; endlich hat das Hühnchen auch eine Nuß gefunden, und das Hähnchen hat sie ihm aufgepickt, aber das Hühnchen war neidisch und hat nicht teilen wollen, und hat aus Neid den Nußkern ganz verschluckt, der ist ihm aber im Halse stecken geblieben, und wollte nicht hinter sich und nicht vor sich, da hat es geschrieen: »Lauf zum Born und hol mir Wasser.«
Hähnchen ist zum Born gelaufen:
Born du sollst mir Wasser geben,

Hühnchen liegt an jenem Berg
Und schluckt an einem Nußkern.
Und da hat der Born gesprochen:
Erst sollst du zur Braut hinspringen
Und mir klare Seide bringen.
Hähnchen ist zur Braut gesprungen:
Braut, du sollst mir Seide geben,
Seide soll ich Brunnen bringen,
Brunnen soll mir Wasser geben,
Wasser soll ich Hühnchen bringen,
Hühnchen liegt an jenem Berg
Und schluckt an einem Nußkern.
Und da hat die Braut gesprochen:
Sollst mir erst mein Kränzlein langen,
Blieb mir in den Weiden hangen.
Hähnchen ist zur Weide flogen,
Hat das Kränzlein runter zogen,
Braut, ich tu dir's Kränzlein bringen,
Sollst mir klare Seiden geben,
Seide soll ich Brunnen bringen,
Brunnen soll mir Wasser geben,
Wasser soll ich Hühnchen bringen,
Hühnchen liegt an jenem Berg
Und schluckt an einem Nußkern.
Braut gab für das Kränzlein Seide,
Born gab für die Seide Wasser,
Wasser bringt er zu dem Hühnchen,
Aber Hühnchen war erstickt,
Hat den Nußkern nicht verschlickt.
Da war das Hähnchen sehr traurig und hat ein Wägelchen
von Weiden geflochten, hat sechs Vögelein davor gespannt
und das Hühnchen darauf gelegt, um es zu Grabe zu fahren,
und wie es so fort fuhr, kam ein Fuchs:
Wohin, Hähnchen?

Mein Hühnchen begraben.
Darf ich aufsitzen?
Sitz hinten auf den Wagen,
Vorne können's meine Pferdchen nicht vertragen.
Da hat sich der Fuchs aufgesetzt, kam ein Wolf:
Wohin, Hähnchen? usw.
Kam ein Löwe, kam ein Bär, usw., alle hinten drauf, endlich
kam noch ein Floh:
Wohin, Hähnchen? usw.
Aber der war zu schwer, der hat gerade noch gefehlt, das
ganze Wägelchen mit aller Bagage, mit Mann und Maus ist
im Sumpfe versunken, da braucht er auch kein Grab; das
Hähnchen ist allein davon gekommen, ist auf den Kirchturm
geflogen, da steht es noch, und dreht sich überall herum, und
paßt auf schön Wetter, daß der Sumpf austrocknet; da will es
wieder hin und will sehen, wie es seinen Leichenzug weiter
bringt. Wird aber wohl zu spät kommen, denn es ist allerlei
Kraut und Gras darüber gewachsen, Hühnerdarm und
Hahnenfuß, und Löwenzahn und Fuchsia, und lauter solche
Geschichten, wer sie nicht weiß, der muß sie erdichten.

KINDERLIED ZU WEIHNACHTEN

Gotts Wunder, lieber Bu,
Geh, horch ein wenig zu,
Was ich dir will erzählen,
Was geschah in aller Fruh.

Da geh ich über ein Heid,
Wo man die Schäflein weidt,
Da kam ein kleiner Bu gerennt,
Ich hab ihn all mein Tag nicht kennt.

Gotts Wunder, lieber Bu,
Geh, horch ein wenig zu.

Den alten Zimmermann,
Den schaun wir alle an,
Der hat dem kleinen Kindelein
Viel Gutes angetan.

Er hat es so erkußt,
Es war eine wahre Lust,
Er schafft das Brot, ißt selber nicht,
Ist auch sein rechter Vater nicht.

Gotts Wunder, lieber Bu,
Geh, lausch ein wenig zu.

Hätt ich nur dran gedenkt,
Dem Kind hätt ich was g'schenkt,
Zwei Äpfel hab ich bei mir g'habt,
Es hat mich freundlich angelacht.

Gotts Wunder, lieber Bu,
Geh, horch ein wenig zu.

WEIHNACHTLIED

O du mein Mopper, wo willt du hinaus,
Ich kann dir nicht erzählen
Mein güldene Klaus:
Laß klinken, laß klanken,
Laß all herunter schwanken;

Ich weiß nicht, soll ich hüten
Ochs oder Schaf,

Oder soll ich essen
Einen Käs und ein Brot.

Bei Ochsen und bei Schafen
Kann man nicht schlafen,
Da tut es sich eröffnen,
Das himmlische Tor,
Da kugeln die Engel
Ganz haufenweis hervor.

DREIKÖNIGSLIED

Gott so wollen wir loben und ehren,
Die heiligen drei König mit ihrem Stern,
Sie reiten daher in aller Eil,
In dreißig Tagen vierhundert Meil,
Sie kamen in Herodis Haus,
Herodes sahe zum Fenster raus:
Ihr meine lieben Herrn, wo wollt ihr hin?
Nach Bethlehem steht unser Sinn.
Da ist geboren ohn alles Leid
Ein Kindlein von einer reinen Maid.
Herodes sprach aus großem Trotz:
Ei, warum ist der hinter so schwarz?
O lieber Herr, er ist uns wohlbekannt,
Er ist ein König im Mohrenland,
Und wöllend Ihr uns recht erkennen,
Wir dörffend uns gar wohl nennen.
Wir seind die König vom finstern Stern
Und brächten dem Kindlein ein Opfer gern,
Myrrhen, Weihrauch und rotes Gold,
Wir seind dem Kindlein ins Herz nein hold.
Herodes sprach aus Übermut:
Bleibend bei mir und nehmt für gut,

Ich will euch geben Heu und Streu,
Ich will euch halten Zehrung frei.
Die heiligen drei König täten sich besinnen,
Fürwahr, wir wollen jetzt von hinnen.
Herodes sprach aus trutzigem Sinn:
Wollt ihr nicht bleiben, so fahret hin.
Sie zogen über den Berg hinaus,
Sie funden den Stern ob dem Haus,
Sie traten in das Haus hinein,
Sie funden Jesum in dem Krippelein,
Sie gaben ihm ein reichen Sold,
Myrrhen, Weihrauch und rotes Gold.
Joseph bei dem Kripplein saß,
Bis daß er schier erfroren was.
Joseph nahm ein Pfännelein
Und macht dem Kind ein Müselein.
Joseph, der zog sein Höselein aus,
Und macht dem Kindlein zwei Windelein draus.
Joseph, lieber Joseph mein,
Hilf mir wiegen mein Kindelein.
Es waren da zwei unvernünftige Tier,
Sie fielen nieder auf ihre Knie.
Das Öchselein und das Eselein,
Die kannten Gott den Herren rein. Amen.

WENN DIE KINDER IHRE HEISSE SUPPE RÜHREN

Lirum larum Löffelstiel,
Alte Weiber essen viel,
Junge müssen fasten,
Brot liegt im Kasten,
Messer liegt daneben,
Ei, was ein lustig Leben!

KINDERPREDIGT

Quibus, Quabus,
Die Enten gehn barfuß,
Die Gäns haben gar keine Schuh,
Was sagen dann die lieben Hühner dazu?
Und als ich nun kam an das kanaljeische Meer,
Da fand ich drei Männer und noch viel mehr,
Der eine hatte niemals was,
Der andre nicht das
Und der dritte gar nichts,
Die kauften sich eine Semmel
Und einen Zentner holländischen Käse,
Und fuhren damit an das kanaljeische Meer.
Und als sie kamen an das kanaljeische Meer,
Da kamen sie in ein Land und das war leer,
Und sie kamen an eine Kirche von Papier,
Darin war eine Kanzel von Korduan,
Und ein Pfaffe von Rotstein,
Der schrie: Heute haben wir Sünde getan,
Verleiht uns Gott das Leben, so wollen wir morgen wieder
dran!
Und die drei Schwestern Lazari,
Katharina, Sibylla, Schweigstilla,
Weinten bitterlich,
Und der Hahn krähete Buttermilch!

DAS BUCKLIGE MÄNNLEIN

Will ich in mein Gärtlein gehn,
Will mein Zwiebeln gießen,
Steht ein bucklicht Männlein da,
Fängt als an zu niesen.

Will ich in mein Küchel gehn,
Will mein Süpplein kochen,
Steht ein bucklicht Männlein da,
hat mein Töpflein brochen.

Will ich in mein Stüblein gehn,
Will mein Müslein essen,
Steht ein bucklicht Männlein da,
hat's schon halber gessen.

Will ich auf mein Boden gehn,
Will mein Hölzlein holen,
Steht ein bucklicht Männlein da,
hat mir's halber g'stohlen.

Will ich in mein Keller gehn,
Will mein Weinlein zapfen,
Steht ein bucklicht Männlein da,
Tut mirn Krug wegschnappen.

Setz ich mich ans Rädlein hin,
Will mein Fädlein drehen,
Steht ein bucklicht Männlein da,
Läßt mir's Rad nicht gehen.

Geh ich in mein Kämmerlein,
Will mein Bettlein machen,
Steht ein bucklicht Männlein da,
Fängt als an zu lachen.

Wenn ich an mein Bänklein knie,
Will ein bißlein beten,
Steht ein bucklicht Männlein da,
Fängt als an zu reden:

Liebes Kindlein, ach ich bitt,
Bet' fürs bucklicht Männlein mit!

KRIEGSLIED

Husaren kommen reiten,
Den Säbel an der Seiten!
Hau dem Schelm ein Ohr ab,
Hau's ihm nicht zu dicht ab,
Laß ihm noch ein Stücklein dran,
Laß ihm noch ein Stücklein dran,
Daß man den Schelm erkennen kann.

ENGELSGESANG

O du mein Gott, o du mein Gott,
Singen Engelein so fein,
Singen aufe, singen abe,
Schlagen Trillerlein drein!

MORGENLIED VON DEN SCHÄFCHEN

Schlaf, Kindlein, schlaf,
Der Vater hüt die Schaf,
Die Mutter schüttelt's Bäumelein,
Da fällt herab ein Träumelein.
Schlaf, Kindlein, schlaf!

Schlaf, Kindlein, schlaf,
Am Himmel ziehn die Schaf,
Die Sternlein sind die Lämmerlein,
Der Mond, der ist das Schäferlein,
Schlaf, Kindlein, schlaf!

Schlaf, Kindlein, schlaf,
Christkindlein hat ein Schaf,
Ist selbst das liebe Gotteslamm,
Das um uns all zu Tode kam,
Schlaf, Kindlein, schlaf!

Schlaf, Kindlein, schlaf,
So schenk ich dir ein Schaf,
Mit einer goldnen Schelle fein,
Das soll dein Spielgeselle sein,
Schlaf, Kindlein, schlaf!

Schlaf, Kindlein, schlaf,
Und blök nicht wie ein Schaf,
Sonst kömmt des Schäfers Hündelein
Und beißt mein böses Kindelein,
Schlaf, Kindlein, schlaf!

Schlaf, Kindlein, schlaf,
Geh fort und hüt die Schaf,
Geh fort, du schwarzes Hündelein,
Und weck mir nicht mein Kindelein,
Schlaf, Kindlein, schlaf.

AMMENUHR

Der Mond, der scheint,
Das Kindlein weint,
Die Glock schlägt zwölf,
Daß Gott doch allen Kranken helf!

Gott alles weiß,
Das Mäuslein beißt,

Die Glock schlägt ein,
Der Traum spielt auf dem Kissen dein.

Das Nönnchen läut
Zur Mettenzeit,
Die Glock schlägt zwei,
Sie gehn ins Chor in einer Reih.

Der Wind, der weht,
Der Hahn, der kräht,
Die Glock schlägt drei,
Der Fuhrmann hebt sich von der Streu.

Der Gaul, der scharrt,
Die Stalltür knarrt,
Die Glock schlägt vier,
Der Kutscher siebt den Hafer schier.

Die Schwalbe lacht
Die Sonn erwacht,
Die Glock schlägt fünf,
Der Wandrer macht sich auf die Strümpf.

Das Huhn gagackt,
Die Ente quakt,
Die Glock schlägt sechs,
Steh auf, steh auf, du faule Hex.

Zum Bäcker lauf,
Ein Wecklein kauf,
Die Glock schlägt sieben,
Die Milch tu an das Feuer schieben.

Tut Butter nein
Und Zucker fein,
Die Glock schlägt acht,
Geschwind dem Kind die Supp gebracht.

MÄHLÄMMCHEN

Mäh, Lämmchen, mäh,
Das Lämmchen lauft in Wald,
Da stieß sich's an ein Steinchen,
Tat ihm weh sein Beinchen,
Da schrie das Lämmchen mäh!

Mäh, Lämmchen, mäh!
Das Lämmchen lauft in Wald,
Da stieß sich's an ein Stöchelchen,
Tat ihm weh sein Köppelchen,
Da schrie das Lämmchen mäh!

Da stieß sich's an ein Sträuchelchen,
Tat ihm weh sein Bäuchelchen.
Da stieß sich's an ein Hölzchen,
Tat ihm weh sein Hälschen,
Da schrie das Lämmchen mäh!

WIEGENLIED

Eio popeio, was rasselt im Stroh,
Die Gänslein gehn barfuß
Und haben keine Schuh,
Der Schuster hat's Leder,
Kein Leisten dazu,
Kann er den Gänslein
Auch machen kein Schuh.

Eio popeio, schlag's Kikelchen tot,
Legt mir keine Eier
Und frißt mir mein Brot,
Rupfen wir ihm dann
Die Federchen aus,
Machen dem Kindlein
Ein Bettlein daraus.

Eio popeio, das ist eine Not,
Wer schenkt mir ein Heller
Zu Zucker und Brot?
Verkauf ich mein Bettlein
Und leg mich aufs Stroh,
Sticht mich keine Feder
Und beißt mich kein Floh.
Eio popeio.

WALTE GOTT VATER!

Eia popeia!
Schlief lieber wie du,
Willst mir's nicht glauben,
So sieh mir nur zu.
Sieh mir nur zu,
Wie schläfrig ich bin,
Schlafen, zum Schlafen
Da steht mir mein Sinn.
Ei eia popeia.

Hab ich mein Kindele
Schlafen gelegt,
Hab ich's mit: Walte
Gott Vater! zugedeckt.
Das Walte Gott Vater,

272

Sohn, Heiliger Geist,
Der mir mein Kindele
Tränket und speist.
Ei eia popeia.

GUTE NACHT, MEIN KIND!

Guten Abend, gute Nacht,
Mit Rosen bedacht,
Mit Näglein besteckt,
Schlupf unter die Deck,
Morgen früh, wenn's Gott will,
Wirst du wieder geweckt.

WIEGENLIED

Buko von Halberstadt,
Bring doch meinem Kinde was.
Was soll ich ihm bringen?
Rote Schuh mit Ringen,
Schöne Schuh mit Gold beschlagen,
Die soll unser Kindchen tragen.

Hurraso, Burra fort,
Wagen und schön Schuh sind fort,
Stecken tief im Sumpfe,
Pferde sind ertrunken,
Hurra, schrei nicht Reitersknecht,
Warum fährst du auch so schlecht!

WENN DER SCHELM DIE ERSTEN HOSEN ANZIEHT

Zimmermäntle, Zimmermäntle,
Leih mir deine Hosen, –
Nein, nein, leih dir sie nit,
Sie hangen hinterm Ofen!

WENN DAS KIND ETWAS NICHT GERN ISST

Bum bam beier,
Die Katz mag keine Eier.
Was mag sie dann?
Speck aus der Pfann!
Ei, wie lecker ist unsre Madam!

WENN DIE KINDER AUF DER ERDE HERUM RUTSCHEN

Guck hinüber, fuff herüber,
Wohl über die Straß hinum,
kann Deutschland nicht finden,
Rutsch alleweil drauf rum.

WENN DIE KINDER ÜBLE LAUNE HABEN

Zürnt und brummt der kleine Zwerg,
Nimmt er alles überzwerch,
Ein Backofen für ein Bierglas,
Den Mehlsack für ein Weinfaß,
Den Kirschbaum für ein Besenstiel,
Den Flederwisch für ein Windmühl,
Die Katz für eine Wachtel,
Den Sieb für eine Schachtel,
Das Hackbrett für ein Löffel,
Den Hansel für den Stöffel.

Es kam ein Herr zum Schlößli
Auf einem schönen Rößli,
Da lugt die Frau zum Fenster aus
Und sagt: »Der Mann ist nicht zu Haus.

Und niemand heim als Kinder
Und's Mädchen auf der Winden.«
Der Herr auf seinem Rößli
Sagt zu der Frau im Schlößli:

Sind's gute Kind, sind's böse Kind?
Ach, liebe Frau, ach sagt geschwind.«
Die Frau, die sagt: »Sehr böse Kind,
Sie folgen Muttern nicht geschwind.«

Da sagt der Herr: »So reit ich heim,
Dergleichen Kinder brauch ich kein.«
Und reit auf seinem Rößli
Weit, weit entweg vom Schlößli.

ICH SCHENK DIR WAS

Was ist denn das?
Ein silbernes Wart ein Weilchen,
Und ein goldnes Nixchen
In einem niemalenen Büchschen.

KLAPPERSTORCH

Storch, Storch, Langbein,
Wann fliegst du ins Land herein,
Bringst dem Kind ein Brüderlein?

Wenn der Roggen reifet,
Wenn der Frosch pfeifet,
Wenn die goldnen Ringen
In der Kiste klingen,
Wenn die roten Appeln
In der Kiste rappeln.

WENN DIE KINDER STEINE INS WASSER WERFEN

Ist ein Mann in Brunnen gefallen,
Haben ihn hören plumpen,
Wär der Narr nit nein gefallen,
Wär er nit ertrunken.

WAS HABEN WIR DANN ZU ESSEN?

Guten Abend, Ännele,
Zu essen häben wir wenele,
Zu trinken häben wir unsern Bach,
Häben wir nit die beste Sach?

WER BIST DU, ARMER MANN?

Der Himmel ist mein Hut,
Die Erde ist mein Schuh,
Das heilge Kreuz ist mein Schwert,
Wer mich sieht, hat mich lieb und wert.

WENN'S KIND VERDRIESSLICH IST

Der Müller tut mahlen,
Das Rädle geht rum,
Mein Schatz ist verzürnet,
Weiß selbst nit warum.

LIEBESLIEDCHEN

Mein Schätzle ist fein,
's könnt feiner nit sein,
Es hat mir's versprochen,
Sein Herzle gehör mein.

GEH, DU SCHWARZE AMSEL

Wann ich schon schwarz bin,
Schuld ist nicht mein allein,
Schuld hat mein Mutter gehabt,
Weil sie mich nicht gewaschen hat,
Da ich noch klein,
Da ich wunderwinzig bin gesein.

ZIEH'S NAUFI

Margritchen, Margritchen,
Dein Hemdchen guckt für,
Zieh's naufi, zieh's naufi,
So tanz ich mit dir.

TANZLIEDCHEN

Tanz, Kindlein, tanz,
Deine Schühlein sind noch ganz,
Laß dir sie nit gereue,
Der Schuster macht dir neue.

MONDLIEDCHEN

Wie der Mond so schön scheint,
Und die Nachtigall singt,
Wie lustig mags im Himmel sein
Beim kleinen Jesuskind.

KINDERGEBET

Lieber Gott und Engelein,
Laßt mich fromm und gut sein,
Laßt mir doch auch mein Hemdlein
Recht bald werden viel zu klein.

ABENDGEBET

Abends wenn ich schlafen geh,
Vierzehn Engel bei mir stehn:
Zwei zu meiner Rechten,
Zwei zu meiner Linken,
Zwei zu meinen Häupten,
Zwei zu meinen Füßen,
Zwei, die mich decken,
Zwei, die mich wecken,
Zwei, die mich weisen
In das himmlische Paradeischen.

WIEGENLIED EINER ALTEN FROMMEN MAGD

Ich wollte mich zur lieben Maria vermieten,
Ich sollte ihr Kindlein helfen wiegen,
Sie führt' mich in ihr Kämmerlein,

Da waren die lieben Engelein,
Die sangen alle Gloria!
Gelobet sei Maria!

WIEGENLIED IM FREIEN

Da oben auf dem Berge,
Da wehet der Wind,
Da sitzet Maria
Und wieget ihr Kind,
Sie wiegt es mit ihrer schneeweißen Hand,
Dazu braucht sie kein Wiegenband.

SCHLUSS

Dormi Jesu, mater ridet,
Quae tam dulcem somnum videt,
Dormi Jesu blandule.
Si non dormis, mater plorat,
Inter fila cantans orat:
Blande veni somnule.

(Seite 4)
Ludwig Achim von Arnim (1781–1831) – Ölgemälde von
Peter Eduard Ströhling, 1804 (Freies Deutsches Hochstift –
Frankfurter Goethe-Museum).
Clemens Brentano (1778–1842) – Gipsbüste von Friedrich
Tieck, 1803 (Freies Deutsches Hochstift – Frankfurter Goethe-
Museum).

(Seite 7)
Des Knaben Wunderhorn. Alte deutsche Lieder. Gesammelt
von Ludwig Achim von Arnim und Clemens Brentano.
Band 1. Heidelberg 1806, Stich: Haupttitel.

(Seite 17)
Des Knaben Wunderhorn. Alte deutsche Lieder. Gesammelt
von Ludwig Achim von Arnim und Clemens Brentano.
Band 2. Heidelberg 1808, Stich: Haupttitel.

(Seite 18)
Des Knaben Wunderhorn. Alte deutsche Lieder. Gesammelt
von Ludwig Achim von Arnim und Clemens Brentano.
Band 3. Heidelberg 1808, Stich: Haupttitel.

(Seite 255)
Kinderlieder. Anhang zum Wunderhorn. Heidelberg 1808,
Vignette.

(Seite 256
Kinderlieder. Anhang zum Wunderhorn. Heidelberg 1808,
Kupferstich vor den Titeln.

(Seite 281)
Moritz von Schwind, *Im Walde »Des Knaben Wunderhorn«*,
Zeichnung. (E. W. Bredt, *Moritz von Schwinds Fröhliche
Romantik*, München, o. J., Seite 13).

insel taschenbücher
Alphabetisches Verzeichnis

it 67
Hermann Hesse
Kindheit des Zauberers
Ein autobiographisches Märchen
Handgeschrieben und mit 80 farbigen Aquarellen und
Tuschfederzeichnungen illustriert von Peter Weiss
Aus Anlaß des medizinischen Examens seines Freun-
des und Mäzens Dr. H. C. Bodmer gab Hesse 1938 dem
damals 22jährigen, staaten- und mittellosen Peter Weiss
– »um zu helfen, ihn über die Monate seiner Schweizer
Aufenthaltsbewilligung durchzubringen« – den Auftrag,
das 1923 entstandene Märchen *Kindheit des Zauberers*
zu illustrieren. Peter Weiss bezog damals Hesses ehe-
malige Wohnung in der Casa Camuzzi, Schauplatz der
Maler-Erzählung *Klingsors letzter Sommer,* in Monta-
gnola. Die Illustrationen entstanden im Oktober 1938. Im
selben Monat schrieb Hesse an Alfred Kubin: »Zur Zeit
ist in meiner Nachbarschaft ein junger tschechischer
Künstler . . . Er ist hochbegabt, besonders als Zeichner, und machte mir kürzlich, da ich ihn etwas unter-
stützen wollte, Illustrationen zu einer kleinen Dichtung
von mir.« Das Manuskript wird in unserer Ausgabe far-
big und in Originalgröße faksimiliert. Im Anschluß wird
der Wortlaut des Märchens in Druckschrift wiedergege-
ben.

it 68
Rainer Maria Rilke
Wladimir, der Wolkenmaler
Frühe Erzählungen
Die frühen Erzählungen Rainer Maria Rilkes stammen
aus den Jahren 1893–1902. Zum Teil sind es Finger-
übungen, tastende Versuche, sich selbst und die Um-
welt zu beschreiben und beide damit in den Griff zu
bekommen. Andererseits gibt es noch im frühesten und
zaghaftesten Versuch Bilder und zupackende Formulierungen, die den Dichter verraten.
Unter den frühen Erzählungen sind einige, die durch
ihre Sensibilität und die Genauigkeit der Beschreibung

einen bleibenden Platz in der Literatur eingenommen haben: u. a. »Die Turnstunde« und »Die Näherin«.

Über all den Erzählungen könnte als Motto stehen, was Rainer Maria Rilke am 3. November 1899 notierte: »Ich fürchte in mir nur diejenigen Widersprüche, die Neigung haben zur Versöhnlichkeit. Das muß eine sehr schmale Stelle meines Lebens sein, wenn sie überhaupt daran denken dürfen, sich die Hände zu reichen, von Rand zu Rand.«

it 69

Phaïcon

Almanach der phantastischen Literatur

Herausgegeben von Rein A. Zondergeld

Mit Illustrationen von Dieter Asmus, Jörg Krichbaum,

Hans Ullrich und Ute Osterwalder, Reiner Schwarz

Die Diskussion über die phantastische Literatur kommt nur zögernd in Gang, obwohl doch seit einigen Jahren wenigstens die Texte wieder zur Verfügung stehen; u. a. dank der »Bibliothek des Hauses Usher« des Insel Verlags. *Phaïcon* möchte – ähnlich wie *Polaris* für das Gebiet der Science Fiction – die Diskussion über die phantastische Literatur beleben. Rein A. Zondergeld hat seinen Almanach in drei Teile gegliedert: I. Theoretiker, II. Autorengespräche, III. Autoren über Autoren.

Es kommen unter anderen Autoren und Theoretiker wie: Borges, Cortazar, Caillois, Lem, Ray, Vox und Wilson zu Wort.

it 70

Sophokles

Antigone

Herausgegeben und übertragen von

Wolfgang Schadewaldt

Mit Illustrationen

Wie schon in it 15, *Sophokles, König Ödipus,* versucht nun auch hier der bekannte Tübinger Altphilologe und Übersetzer Wolfgang Schadewaldt einen antiken Text, der zum Kanon abendländischer Bildung gehört, durch Übersetzung und Interpretation einem weiteren Publikum zugänglich zu machen.

Der Band ist in drei Hauptstücke gegliedert: I. Textteil,

II. Aufsätze zur Antigone, III. Antigone. Vorstufen und Nachwirkung. Ein Katalog.

Illustriert wird der Band durch antike Sagendarstellungen des Antigone-Motivs und durch Szenenfotos von Theateraufführungen des Dramas. Goethe am 1. April 1827: »Alles Edle ist an sich stiller Natur und scheint zu schlafen, bis es durch Widerspruch geweckt und herausgefordert wird. Ein solcher Widerspruch ist Kreon, welcher teils der Antigone da ist, damit sich ihre edle Natur und das Recht, was auf ihrer Seite liegt, an ihm hervorkehre, teils aber um seiner selbst willen, damit sein unseliger Irrtum uns als ein Hassenswürdiges erscheine.«

it 71
Guillermo Mordillo
Giraffenbuch 2

»Im *Giraffenbuch* hat der 1932 in Buenos Aires geborene Guillermo Mordillo auf vielen skurrilen und surrealen Cartoons diesem langhalsigen Geschöpf ein bestechendes Denkmal gesetzt.« (Esslinger Zeitung) Und nun fährt das *Giraffenbuch 2* fort, die unwahren Geschichten von ›Mensch und Tier‹ zu erzählen. Mordillo hat eine Eigenschaft, die den großen Zeichner charakterisiert: er zeigt Proportionen auf – mit unvergleichlichem Witz, mit List und Phantasie. Ein Cartoonist »ersten Ranges«, dessen »großartige Cartoons« ihm internationalen Erfolg einbrachten.

it 72
Eduard Mörike
Geschichte von der schönen Lau
Mit einem Vorwort von Traude Dienel und einem
Nachwort von Hermann Hesse
Mit Illustrationen von Moritz von Schwind

Die *Geschichte von der schönen Lau* ist in Mörikes Märchen *Das Stuttgarter Hutzelmännlein* (1852) eingeschoben. Zur Zeit Eberhards des Greiners schenkt das Hutzelmännlein einem wandernden Schustergesellen ein Stück Hutzelbrot und zwei Paar Glücksschuhe. Ein Paar soll er anziehen, das andere an eine Wegkreuzung

stellen. Die schöne Vrone, die das Paar findet, wird
seine Frau. Die schöne Lau ist eine Donaunixe, die im
Blautopf bei Blaubeuren haust. Sie darf erst dann ein
Kind gebären, wenn sie fünfmal gelacht hat.
Sie lernt die für Nixen schwierige Kunst des Lachens
im Umgang mit den Schwaben vom Land. Mörikes Märchen stehen den Kunstmärchen ferner als den Volksmärchen, weil ihre betonte Einfachheit von den theorie-
beladenen Kunstübungen der Romantiker abhebt.

it 73
Johann Karl August Musäus
Rübezahl
Ein Märchenbuch
Mit 50 Zeichnungen von Max Slevogt

»Volksmärchen« – sagt Musäus in seinem Vorwort zur
Ausgabe von 1787 – »sind keine Volksromane oder
Erzählungen solcher Begebenheiten, die sich nach dem
gemeinen Wortlaute wirklich haben zutragen können.
Jene veridealisieren die Welt und können nur unter ge-
wissen konventionellen Voraussetzungen, welche die
Einbildungskraft, solang sie ihrer bedarf, als Wahrheit
gelten läßt, sich begeben haben . . . Volksmärchen sind
aber auch keine Kindermärchen; denn ein Volk bestehet
nicht aus Kindern, sondern hauptsächlich aus großen
Leuten, und im gemeinen Leben pflegt man mit diesen
anders zu reden als mit jenen.«
Die *Legenden von Rübezahl* sind ein Teil der *Volksmärchen der Deutschen,* die Musäus von 1782 bis 1787
in fünf Teilen herausgab. »Wenigen ist vielleicht bekannt«, erzählt Kotzebue, »daß, als er den Gedanken
faßte, Volksmärchen der Deutschen zu schreiben, er
wirklich eine Menge alter Weiber mit ihren Spinnrädern
um sich versammelte, sich in ihre Mitte setzte und von
ihnen mit ekelhafter Geschwätzigkeit vorplaudern ließ,
was er hernach so reizend nachplauderte.« Er kreierte
die lebendige Methode des Nacherzählens, die alle
späteren Märchensammler, die Grimm, Andersen und
andere, klug befolgten.

Polaris II
Ein Science Fiction Almanach
Herausgegeben von Franz Rottensteiner

Was von der sowjetischen Science Fiction – oder der »wissenschaftlichen Phantastik« –, um den dort üblichen Terminus zu verwenden, bisher in der Bundesrepublik übersetzt wurde, läßt sich fast an einer Hand aufzählen. Grund genug, diesen zweiten Almanach der zu Unrecht vernachlässigten sowjetischen Science Fiction zu widmen. Freilich kann dieser Band, bei rund fünfzig russischen Autoren der SF, nur eine kleine Auswahl aus der Vielzahl der Veröffentlichungen bieten, und gerade deshalb wurde auch nicht versucht, andere als literarische Kriterien anzuwenden. Darum beispielsweise ist Iwan Jefremow, der möglicherweise für die Geschichte der modernen russischen SF historisch bedeutsamste Autor, hier nicht vertreten. Das Spektrum der Erzählungen reicht vom liebenswürdig-heiteren Humor Wadim Schefners bis zu den düsteren und grimmigen Geschichten Warschawskis und Gansowskis. Zwei Beiträge befassen sich theoretisch mit der sowjetischen SF. R. Nudelman ist einer der führenden Theoretiker der Gattung, mit einer Vorliebe für instrumentalen Relativismus, der beispielsweise in Lem seine höchste Vollendung gefunden hat, während Darko Suvin (Professor an der McGill University in Kanada) im Traum von einer besseren Welt, den höchsten Vorzug der sowjetischen SF erblickt.

Goethe
West-östlicher Divan
Herausgegeben von Hans-J. Weitz

Die großen Alterswerke Goethes – aus einer jeden der drei dichterischen Gattungen eines – sind spät und langsam in das Bewußtsein der Nation eingetreten. Der West-östliche Divan ist unter ihnen das am frühesten erschienene; das jüngste, wenn wir die Entstehungszeit ansehen; das einheitlich-frischeste, dem Geist und dem Sinne nach; unter den Altersschöpfungen ist er gleichsam das Jugendwerk.

Über den *Divan,* der 1818 erschien, schrieb Goethe an Ottilie von Goethe am 21. Juni 1818:

»Die Wirkung dieser Gedichte empfindest du ganz richtig, ihre Bestimmung ist, uns von der bedingenden Gegenwart abzulösen und uns für den Augenblick dem Gefühl nach in eine grenzenlose Freiheit zu versetzen. Dies ist zu einer jeden Zeit wohltätig, besonders zu der unseren.«

»Den berauschendsten Lebensgenuß hat hier Goethe in Verse gebracht, und diese sind so leicht, so glücklich, so hingehaucht, so ätherisch, daß man sich wundert wie dergleichen in deutscher Sprache möglich war.«

Heinrich Heine

it 76

Denkspiele
Polnische Aphorismen des 20. Jahrhunderts
Herausgegeben und mit einem Nachwort versehen von
Antoni Marianowicz und Ryszard Marek Groński
Illustrationen von Klaus Ensikat

Aphorismus, Sentenz, Maxime . . . Schon hier, bei der Begriffsbestimmung des Aphorismus, den J. R. Becher einmal das »Genre des Genrelosen« genannt hat, scheinen die Schwierigkeiten zu beginnen. Auf den kürzesten Nenner gebracht, erscheint der Aphorismus als das Ergebnis einer überraschenden Eingebung, einer blitzartigen Erleuchtung, die in knappe und geistreiche Form, zumeist eines einzigen Satzes, gefaßt ist. Die Auswahl aus dem polnischen Aphorismus des 20. Jahrhunderts begeht gewiß einige »Sünden« gegen die »Reinheit« des Genres. Es wäre aber ungerecht gewesen, auf Namen wie Boy-Żeleński und Słonimski, unerbittliche Kämpfer gegen Dummheit und Bigotterie zwischen den beiden Weltkriegen — ihre Rolle entspricht etwa der Tucholskys in Deutschland —, auf einen so großen Humanisten wie Janusz Korczak zu verzichten, nur weil sie nicht Aphorismen im eigentlichen Sinn geschrieben haben. Hier wurden aus den Büchern der Autoren Formulierungen gewählt, die ein eigenständiges Leben als Aphorismen führen können.

Der Titel des Bandes wurde durch ein Programm des Warschauer Studententheaters inspiriert, das unter dem Motto stand:

»Denken hat kolossale Zukunft«.

Denkspiele will unser Band bieten, der vor allem ein Buch zum Lesen sein soll, ein Buch, das vergnüglich unterhält und zugleich Denkanstöße vermittelt.

it 77
François Rabelais
Gargantua & Pantagruel
Mit Illustrationen von Gustave Doré
2 Bände

Was könnte man Schöneres über ein Buch sagen als Rabelais selbst im Vorspruch zu seinem »Gargantua«:

»Zu weinen nicht, zu lachen macht euch Mut; denn Lachen ist des Menschen höchstes Gut.«

Dieser von saftigen Späßen strotzende grotesk-komische Abenteuerroman ist in Wahrheit ein betörendes, unerschöpfliches Buch des Lachens, der Lebenslust und Sinnenfreude. Mit entwaffnender Natürlichkeit, der nichts Menschliches fremd ist, verspottet dieses Hauptwerk der französischen Renaissance alle Unnatur und Unfreiheit, alle Duckmäuser und Schmarotzer. Seine Titelhelden und der großmäulige Filou Panurg mit seiner Philosophie des Schuldenmachens und die Reise zum Eheorakel der göttlichen Flasche zählen zum Komischsten der Weltliteratur.

it 78
Wilhelm Schlote
Das Elefantenbuch
Bildergeschichten

Wilhelm Schlotes Elefanten (Der Vater und der Sohn) haben sich in den *Fenstergeschichten,* die als Insel-Bilderbuch erschienen, ihrem Publikum bereits vorgestellt. Später tauchten sie als die Hauptpersonen einer

Cartoon-Serie in *Die Zeit* auf. Hier nun versammeln sich die beiden in ihrem eigenen Buch und bewegen Elefantenprobleme von eminenter Wichtigkeit. Zum Beispiel so:

Wilhelm Schlote (19 in Kassel geboren) ist Kunsterzieher am Jacob-Grimm-Gymnasium in Kassel. Im Insel Verlag erschienen die Insel-Bilderbücher *Fenstergeschichten* (1972) und *Die Geschichte vom offenen Fenster* (1973).

Die Auswahl stützt sich auf die letzte sowjetische Gesamtausgabe von Majakowskis Werken (Moskau 1955 bis 1961). Alle Nachdichtungen, auch die früher publizierten, wurden anhand dieser Ausgabe überprüft. Die Bühnenwerke und Filmszenarien sind – innerhalb der beiden nach Genres getrennten Abteilungen – chronologisch nach ihrer Entstehungszeit angeordnet. Die großen Bühnenwerke wurden alle aufgenommen – allerdings nur in einer Fassung.

War Lenin der politische Begründer der Sowjetunion, so war Majakowski ihr poetischer. Die Wirkung Majakowskis war spektakulär: kaum eine Dichterschule der ersten Jahrhunderthälfte hat sich seinem hämmernden Einfluß entziehen können. Futuristen und Surrealisten, Expressionisten und sozialistische Realisten: keiner, der sich nicht auf ihn als den großen Anreger berief und auch heute noch beruft.

Die *Duineser Elegien* begann Rilke im Januar 1912 auf Schloß Duino. Die zehn Elegien wurden vom 7. bis zum

14. Februar 1922 auf Schloß Muzot abgeschlossen.
Die Sonette an Orpheus wurden zwischen dem 2. und 23. 2. 1922 auf Château de Muzot geschrieben. Sie erschienen Ende März 1923.

»Engel kamen in seiner Dichtung dem Namen nach seit jeher vor; der spezifische Elegien-Engel erscheint aber nicht vor dem Beginn der Arbeit an den *Duineser Elegien* im Jahre 1912. Der Vorgang einer solchen Mythenschöpfung hat im Bereich der symbolistischen Dichtung durchaus seine Parallelen – man braucht da an William Butler Yeats oder an Stefan George zu denken oder auch an bestimmte Vorgänge schon im Werke Mallarmés. Es fällt dennoch schwer, solche Schöpfungen angemessen zu lokalisieren . . . Die Konzeption eines Werkes vom Umfang und der Bedeutung der *Elegien* im Geiste seines Dichters wird sich niemals eigentlich nachkonstruieren lassen. Aber alles weist darauf hin, daß man im Fall der *Duineser Elegien* der Wahrheit näher kommt, wenn man in ihnen das Ergebnis einer zehnjährigen Arbeit sieht, als wenn man sie auf eine Kette spontaner Eingebungen zurückführt, von denen die entscheidende erst dem Februar 1922 angehören würde.«   *Beda Allemann*